Geraint Vaughan Jones

NI DDAW DDOE YN ÔL

Christopher Davies

Hawlfraint © Geraint Vaughan Jones 1987

Cyhoeddwyd gan
Christopher Davies (Cyhoeddwyr) Cyf.,
Blwch Post 403, Sgeti,
Abertawe, SA2 9BE.

ISBN 0 7154 0689 2

*Argraffwyd gan
Wasg Dinefwr,
Heol Rawlings,
Llandybïe, Dyfed.*

Dymuna'r cyhoeddwyr gydnabod cymorth
Adrannau'r Cyngor Llyfrau Cymraeg
a noddir gan Gyngor Celfyddydau Cymru.

PROLOG

Ar ei ffordd i'r gegin i ddarparu ei brecwast sylwodd Gwen fod pedair amlen ar lawr y cyntedd wrth ddrws y ffrynt. Rhybudd coch oddi wrth y Bwrdd Trydan oedd y cyntaf ohonynt, yn bygwth datgysylltu'r cyflenwad oni thelid y bil am y chwarter blaenorol o fewn wythnos. Ond os oedd hi wedi 'i dalu yn y cyfamser dylai anwybyddu'r rhybudd. Bil oddi wrth y Bwrdd Nwy oedd yr ail ynghyd â thaflen yn disgrifio'r fantais fawr o ddefnyddio'r tanwydd hwnnw. Cystal iddi ei dalu rhag blaen. Amlen yn cynnwys cerdyn cyfarchion pen-blwydd oddi wrth Liz Finch oedd y nesaf a gyrhaeddodd ddiwrnod yn ddiweddar. Pen-blwydd hapus, a hithau'n bum deg a chwech. Roedd yr ysgrifen ar y bedwaredd amlen yn hanner cyfarwydd. Gallai honno aros nes iddi orffen darparu'r brecwast.

Hanner llanwodd y tegell trydan a'i droi ymlaen. Yna malodd fesuriad o ffa coffi, tywallt llaeth i mewn i sosban a'i dodi ar y stof i ferwi, a thynnu'r hidlydd o'r cwpwrdd. Agorodd baced o Shredded Wheat a rhoi darn mewn dysgl yn ôl ei harfer digyfnewid. Bu'n bwyta'r bisgedi hyn bron bob bore ers dros ugain mlynedd ac eithrio pan oedd hi ar ei gwyliau; amcangyfrifodd iddi fwyta oddeutu chwe mil, pedwar cant ac ugain ohonynt at ei gilydd.

Hidlodd y coffi i gostrel pyrex gan gadw llygad ar y llaeth. Âi oriau lawer heibio cyn cael gwared o'r drewdod pe bai'n berwi drosodd. Eisteddodd o flaen y Shredded Wheat ac agor yr amlen â chyllell. Roedd y cyfeiriad ar ben y ddalen yn ddieithr ond roedd yr ysgrifen yn canu cloch yn ei chof. Ie, oddi wrth Bryan oedd y llythyr hwn. Dylasai wybod hynny ar unwaith, ond aethai deng mlynedd ar hugain heibio er pan welsai'r llaw-ysgrifen o'r blaen. "Hwyrach dy fod ti wedi anghofio amdanaf er pan welaist ti fi ddiwethaf" oedd y frawddeg agoriadol. Wel, naddo, ddim yn llwyr; roedd rhai pethau, fel meddyliau, na fedrid mo'u hanghofio, dim ond eu gwthio o'r neilltu fel pe na baent wedi bod, a gadael iddynt edwino a marw, os marw hefyd.

Llythyr byr oedd o, dim ond ychydig frawddegau yn ei hysbysu y byddai Bryan yn yr ardal yn ystod yr wythnos ddilynol ar fusnes ac yr hoffai alw heibio am sgwrs wedi'r holl flynyddoedd. A gâi o ateb ganddi â throad y post?

Doedd ei ysgrifen ddim wedi newid rhyw lawer, mwy nag oedd ei hysgrifen hi, o ran hynny. Un o'r pethau sy'n parhau fwy neu lai yn ddigyfnewid yw ysgrifen.

Torrodd dafell o fara a'i dodi yn y crasydd awtomatig ac aros iddi sboncio allan. Tybed, meddyliai, ai call fyddai ei weld ar ôl yr holl flynyddoedd, a chysidro'r tro gwael a wnaeth â hi? Rhoes y gorau i ddysgu, meddai, fel y gwyddai hi, a bu farw ei wraig o glefyd hir. Dyna'r cwbl a ddywedodd amdano'i hun, ond ei fod yn edrych ymlaen at sgwrsio am y dyddiau gynt.

Llifodd ei hatgofion yn ôl ac er ei gwaethaf hanner hoffai ei weld eto, er na fedrai ddychmygu sut yr edrychai, na pha fath ddyn y gallai fod. Ond mewn gwirionedd roedd y dyddiau gynt wedi eu hir gladdu ym mynwent y pethau marw. Bryan; wel, cystal iddo daro i mewn am sgwrs fach os mynnai. Ni wnâi hynny ddim drwg i neb, a thebyg iawn y byddai ei hanes yn ddi-ddorol.

Tybed sut olwg oedd arno ar ôl deng mlynedd ar hugain? Daeth geiriau o nofel anferth Proust, *Yr Ymchwil am Amser Colledig,* i'w chof — geiriau yn disgrifio synfyfyriad Marcel wrth edrych yn ôl ar y blynyddoedd a fu a cheisio dwyn i gof y bobl a adwaenai gynt:

> Bob amser gwelwn yn ifainc y rhai hynny a adwaenem yn ifainc, ac addurnwn y rhai a adwaenem yn hen bobl, wrth dremio yn ôl arnynt, â rhinweddau henaint.

Cofiai Bryan yn ifanc; tybed sut y datblygodd yn ystod deng mlynedd ar hugain? Ni fedrai ond ei ddychmygu fel yr oedd, er y gwyddai'n iawn mai twyll oedd hynny. Pe gwelai ef yn y stryd prin y'i hadwaenai bellach.

Neidiodd y dafell fara o'r teclyn crasu â chlec. Fe'i tynnodd allan a'i rhoi ar ei phlât a thaenu menyn a marmalêd arni . . . Oedd, roedd hi'n cofio sut un oedd o pan oeddent ill dau ar staff yr un ysgol. Roedd o eisoes wedi ennill ei M.Sc. ym Mhrifysgol Manceinion cyn ei apwyntiad yn Aberwysg. Un talog a ffraeth ydoedd. Wrth chwerthin dangosai lond ceg o ddannedd cryfion ac ysgydwai ei wallt goleufrown hir. Wel, gweddol hir; nid oedd gwallt hir, aflêr yn y ffasiwn yr adeg honno. Bu'n rhaid aros hyd oes y Beatles a phop a roc am hynny. Ond roedd ei wallt yn ddigon hir i hanner cuddio'i dalcen. Cemegwr galluog oedd o, a enillodd radd B.Sc. dosbarth cyntaf. Roedd yn boblogaidd gyda'r disgyblion. Nid oedd disgyblaeth yn broblem iddo ef — nac iddi hithau na gweddill y staff, ar y cyfan, 'chwaith. Ffenomen a ymddangosodd genhedlaeth yn ddiweddarach oedd honno.

Ac yn awr dyma'r llythyr hwn yn cyhoeddi dymuniad Bryan i ymweld â hi. Na, erbyn meddwl, doedd hi ddim yn siŵr ai call fyddai hynny. Dichon yr agorai hen friw . . . Ond onid *hen* friw ydoedd? Doedd dim arwydd ohono'n aros. Roedd o wedi hen wella heb adael hyd yn oed graith ar ei ôl.

Dododd y llythyr o'r neilltu. Gallai benderfynu yn nes ymlaen beth a ddylai ei wneud. Trodd y transistor ymlaen a gwrando'r newyddion. Ie, yr un hen diwn gron — datganiad gan y C.B.I. fod masnach ar i fyny, chwyddiant wedi gostwng a diweithdra ar gynnydd; streic y glowyr yn parhau heb ddim arwydd terfyn arni, a'r picedwyr a'r heddlu yn paffio. Parhâi rhagolygon yr ifainc yn anobeithiol, ac roedd yn dda ganddi nad oedd raid iddi wynebu criw o bobl ifainc gwrthryfelgar a deflid ar y clwt ar ôl gadael ysgol. Doedd dim rhyfedd yn y byd nad oedd eu bryd ar ddysgu. Tosturiai wrthynt o waelod calon.

Ond roedd hyn y tu cefn iddi yn awr. Melys oedd cael byw heb gyfrifoldeb, a hithau wedi ymddeol chwe blynedd cyn bod rhaid. Gallai dreulio ei dyddiau fel y mynnai a boddhau ei chwant am deithio, darllen, chwarae golff a garddio, a helpu yn y Biwro Cynghori dair gwaith yr wythnos. Fe'i disgwylid hi yno yn nes ymlaen y bore 'ma.

Gorffennodd ei brecwast a mynd i'w hystafell wely i wisgo . . .

"Gogoniant gwŷr ieuainc yw eu nerth, a harddwch hynafgwyr yw gwallt gwyn," medd un o Ddiarhebion yr Hen Destament. Nid oedd ei nerth hi wedi pallu, meddyliai, wrth edrych yn nrych ei bwrdd gwisgo, na'i gwallt yn wyn, er ei fod yn britho. Ni chywilyddiai am hynny, fel y gwnâi rhai gwragedd, a lliwio'u gwallt i gelu'u hoedran. Adwaenai un ddynes â gwallt lliw moron, a hawdd gweld mai wedi'i liwio yr oedd, a gwyddai am rai â gwallt gwyn a'i lliwiai yn borffor gwelw. Er bod ganddi ambell flewyn gwyn, nid oedd ots ganddi am hynny. Gweddai ei gwallt iddi fel yr oedd. Edrychai'n iachus, hefyd, a'i chroen yn ffres a di-grych. Dim ond y llacrwydd ar ei gwddw a'r crychau wrth ei llygaid a fradychai ei chanol oed. Roedd ei chorff mewn cyflwr da; gofalai'r golffio am hynny. Doedd dim rhaid iddi bryderu ynglŷn â'i hymddangosiad a'i hiechyd, ac roedd hi'n siŵr nad oedd gormod o golesterol yn ei gwaed.

Credai mewn gwisgo'n drwsiadus bob amser, er nad oedd rhaid, a hithau'n byw ar ei phen ei hun ac wedi ymddeol. Gwisgai siwt lodrau lliwiog pan na weithiai yn yr ardd; ymfalchïai mewn taclusrwydd a threfn a gwisgo'n ddestlus. Dyna sut roedd hi hyd yn oed pan oedd hi'n dysgu. Roedd yn syndod i ba raddau y sylwai'r plant, a'r genethod yn arbennig, ar flerwch neu ddillad anffasiynol. Help i ddisgyblu ac ennill parch oedd gwisgo'n dda a chwaethus — er mai digon aflêr oedd y plant eu hunain y tu allan i'r ysgol, heb eu gwisg unffurf — ac enillai'r sawl na faliai am ei ymddangosiad ddirmyg gweddill y staff, neu o leiaf eu hanghymeradwyaeth.

Nid nepell o'i byngalo yr oedd ysgol gyfun y dref y dewisodd ymddeol iddi. Gwelai'r plant wrth eu cannoedd bron bob dydd a'u pasio ar y ffordd i'r Biwro ac wrth ddod yn ei hôl o'r siopau, ac arswydai wrth sylwi ar rai ohonynt, yn arbennig y bechgyn, â'u gwallt wedi'i dorri'n fyr fel cae wedi'r cynhaeaf a dim ond sofl ar ôl. Nid oedd dim Cymraeg ar eu gwefusau, a chroch a chwrs a bron yn annealladwy oedd eu Saesneg. Ni ddisgwyliai weld plant felly mewn tref wledig o naw mil o drigolion a dim ond ychydig o ddiwydiant i'w chynnal. Hwyrach ei bod hi'n gwneud anghyfiawnder â hwy, ond edrychai ambell hogyn fel pe bai'n haeddu sbel go hir yn Borstal, ac roedd rhai o'r genethod yn hy a digywilydd eu trem. Mae'n debyg mai o'r tai cyngor y deuent. Beth bynnag, ni hoffai orfod eu dysgu. Ond plant oedd plant a phob cenhedlaeth yn wahanol i'w rhagflaenydd, a'r genhedlaeth hon yn bur wahanol i blant yr ysgolion lle bu hi'n dysgu — ar y dechrau, p'run bynnag. Yn ystod y blynyddoedd diweddarach roedd hyd yn oed merched dosbarth canol cyfoethog mewn ysgol breswyl yn gallu peri problemau.

A'r hogiau oedd wedi gadael ysgol — pe caent waith yn lle stelcian ar gonglau'r strydoedd ac ar y sgwâr byddent yn ffodus. Gwelodd ddau neu dri ohonynt wedi'u haddurno â chadwyn a chlamp o fodrwy neu wrthrych annisgrifiadwy yn hongian o un glust, a'u gwallt yn sefyll fel pinaclau. Credai mai 'pyncs' y'u gelwid. Yn ddiau newidient ymhen y rhawg.

Dyna oedd dagrau bethau.

Do, mi fu'n athrawes 'dda', yn ôl y sôn, os mai llwyddiant mewn arholiadau oedd y prawf. Gallai dremio yn ôl ar y blynyddoedd a fu â pheth boddhad. Mwynhâi ei gwaith a hoffai blant, ond roedd yr agwedd at addysg wedi newid; adnoddau'n brinnach oherwydd y cwtogi ar wario, meddid, a'r galw am ieithoedd estron yn lleihau — serch y Gymuned Ewropeaidd — a phlant yn llai bodlon eu dysgu. A hithau'n athrawes Ffrangeg, roedd hyn yn ei phoeni. Clywodd sôn yn ddiweddar am ysgol ramadeg lle nad oedd dim ond un disgybl yn sefyll Lefel O mewn Ffrangeg a dim un yn sefyll Lefel A.

Ond os oedd hi wedi cefnu ar yr ifainc, nid oedd hi wedi dianc rhag problemau oedolion. Deuid â digonedd ohonynt i'r Biwro Cynghori — problemau cyplau priod; problemau teuluol; problemau rhieni sengl; problemau'r sawl na wyddai'n iawn sut i ymdopi ag amgylchiadau; y rhai hynny na wyddent eu hawliau yn y Wladwriaeth Les; problemau cyfreithiol ac ati, ac roedd hi'n falch ei bod hi, fel un o'r panel, yn gallu eu helpu.

Gorffennodd ymolchi a gwisgo. Yn awr roedd hi'n barod i fynd i'r Biwro. Cerddai yno gan amlaf yn hytrach na mynd yn ei Mini; gwnâi hynny fwy o les iddi na diogi y tu ôl i olwyn lywio, ac ar ben hynny roedd petrol yn andros o ddrud a siwrneiau byrion yn wastrafflyd.

Fe gâi Bryan alw am sgwrs, os dyna oedd ei ddymuniad. Byddai ei weld drachefn yn ddiddorol, o leiaf. Doedd ganddi ddim gwrthwynebiad iddo alw heibio i gael sgwrs am y blynyddoedd oddi ar iddynt weld ei gilydd y tro diwethaf, ddeng mlynedd ar hugain yn ôl.

Yn y cyfamser fe gâi hi ddigon o amser i fwrw trem ar y blynyddoedd hynny a dwyn i gof yr amrywiol droeon ar ei byd. Tybed beth fyddai gan Bryan i'w ddweud?

1

Gallai Gwen edrych yn ôl ar ei thair blynedd yn y coleg fel cyfnod hapus. Gwir iddi esgeuluso ei hastudiaethau ac ymddifyrru yn ei blwyddyn gyntaf oddi cartref, a hithau wedi treulio ei phlentyndod a'i dyddiau ysgol ar fferm yn y Canolbarth. Methodd un o'r arholiadau, a golygai hynny ei ailsefyll cyn dechrau'r tymor canlynol. Eisoes roedd wedi penderfynu chwilio am waith *au pair* yn Ffrainc am ychydig wythnosau yn ystod gwyliau'r haf; ond odid y byddai hynny'n help. Beth bynnag, byddai'n ddifyr. Fe'i rhybuddiwyd gan un o'r darlithwyr yn yr adran Ffrangeg i beidio â mynd — tueddai'r Ffrancod i fanteisio ar ferched *au pair* a'u trin fel morynion israddol, meddai, a llwytho gwaith arnynt. Gwell fyddai cael swydd dros dro yn yr Almaen, er enghraifft. Na! roedd hi'n benderfynol o fynd i Ffrainc, doed a ddelo, a phan welodd hysbyseb yn y *Times Ed.* fe'i hatebodd. Yn ôl hwn, roedd teulu o Bordeaux eisiau rhywun i sgwrsio yn Saesneg â'r ddau fab — y naill yn ddeg oed a'r llall yn ddeuddeg — a rhoi peth help llaw yn y tŷ, sef tŷ haf ryw ddeng milltir ar hugain o'r ddinas. Telid y treuliau teithio o Baris a derbyniai'r ymgeisydd llwyddiannus arian poced. Parhâi'r swydd am chwech wythnos. Atebodd Gwen yr hysbyseb a derbyn ateb ar bapur ysgrifen busnes: *Laforge, Dufour et Cie., Viticulteurs et Négociants en Vins, 23 rue Paul Bourget, Bordeaux.* Gwinllannwr oedd y M. Dufour hwn, felly.

"Mae gan bobl y Landes a Garonne enw drwg am fod yn grintachlyd," meddai'r darlithydd wrthi. "Mi gewch bortread go dda ohonyn nhw yn nofelau Mauriac. Ond os ewch chi, dyma i chi air arall o gyngor. Peidiwch â derbyn lifft mewn tacsi o'r maes awyr nac o'r orsaf ym Mharis. Ella y cewch eich herwgipio. Mae hynna'n digwydd weithiau. Cymerwch y bws sy'n rhedeg i orsaf Austerlitz. Mi fyddwch yn sâff ar hwnnw."

Diolchodd iddo am ei gyngor caredig.

Ymddangosai'r Dufours yn lled gymwynasgar, meddyliodd, pan dderbyniodd lythyr yn egluro'r trefniadau i'w cyfarfod, ynghyd ag amserau'r trenau o Baris. Byddai Madame Dufour yn ei disgwyl gyda'r car yng ngorsaf Marmande, sef yr orsaf agosaf i'w tŷ haf. Rhoes rif ei char iddi.

Bythefnos ar ôl diwedd y tymor ymadawodd Gwen am Ffrainc. Cyrhaeddodd Bordeaux gyda'r hwyr a newid trenau. Arhosai Madame Dufour amdani gyda'i Renault y tu allan i'r orsaf. Coleddai Gwen atgofion clir am y cyfnod byr hwnnw a dreuliodd yn y tŷ moethus, Les Châtaigniers, ryw wyth milltir o Marmande ac afon Garonne, hyd yn oed ar ôl dwy ar bymtheg ar hugain o flynyddoedd. Ar y cyfan buont yn wythnosau lled ddymunol, er bod yr hogyn ieuengaf, Jules, yn fympwyol ei dymer a braidd yn anhydrin ac wedi'i sbwylio gan ei fam. Roedd ei frawd, Victor, yn wahanol. Roedd hwnnw'n fwy bodlon cydweithio, a mwynhâi *Treasure Island* – y llyfr y daeth Gwen ag ef i'w ddarllen gyda hwy — er ei bod hi'n hen nofel. Âi gyda'r bechgyn am dro ar eu beiciau, ac yn awr ac yn y man âi gyda'r teulu i ymweld â chymdogion a chwarae tenis gyda Madame, a ddwywaith piciodd i'r ddinas fawr ar foryd y Garonne. Gan na wyddai Madame nemor ddim Saesneg, ac mai dim ond crap oedd gan M. Dufour, cafodd ddigon o gyfle i ymarfer ei Ffrangeg. Dau beth, fodd bynnag, a'i poenai. Mynnai Madame ei bod yn helpu mwy yn y tŷ nag a ddisgwyliasai, ac achwynodd o'r herwydd. Roedd rhybudd y darlithydd wedi'i wireddu. Yr ail beth oedd ymddygiad M. Dufour tuag ati — ar un achlysur yn arbennig.

Ni threuliodd M. Dufour ddim ond un wythnos gyfan yn Les Châtaigniers heblaw'r penwythnosau. Byddai naill ai'n ymweld â'i winllannoedd neu'n treulio gweddill yr amser yn Bordeaux.

Y tu cefn i'r tŷ safai ei gaban haf preifat; fe'i defnyddiai fel swyddfa yn ystod ei enciliad i'w ystad yn y wlad a hefyd i lymeitian ar y slei. Un bore fe wahoddodd Gwen i mewn am sgwrs ac, er nad oedd hi'n awyddus iawn, i mewn yr aeth. Cynhwysai'r caban ddesg fawr a theliffon a silffoedd o lyfrau a chwpwrdd a blychau ffeilio. Ar y ddesg safai potel o win a oedd bron yn wag. Arllwysodd M. Dufour wydraid a'i gynnig iddi ac yna agor potel arall.

Ni hoffai Gwen M. Dufour. Ni siaradai ryw lawer â hi, a phan wnâi, rhyw siarad anuniongyrchol ydoedd, fel petai hi islaw ei sylw. Y tro hwn, sut bynnag, yr oedd yn wên i gyd ac, yn groes i'w arfer, yr oedd yn amlwg ei fod yn dymuno cael sgwrs. Fe'i holodd ynglŷn â'i theulu a'i bywyd yn y coleg ac, er bod y rhyfel drosodd ers mwy na dwy flynedd, aeth rhagddo i sôn am y blynyddoedd erchyll dan ormes yr Almaenwyr a chydweithrediad gwŷr Vichy â hwy, gan gwyno am arafwch y broses o godi Ffrainc yn ôl ar ei thraed yn sgîl y difrod a wnaethpwyd, yn arbennig gan gyrchoedd awyr y Cynghreiriaid — pontydd wedi eu bomio neu eu ffrwydro, locomotifau wedi'u dinistrio, trefi Normandi'n adfeilion, ac ati. Roedd hi wedi sylwi ar hynny, meddai hi, yn arbennig yn Calais, a synnai hithau at eu harafwch yn atgyweirio'r difrod. Ond dioddefodd trefi Prydain hefyd, meddai, a hynny'n ddirfawr, yn enwedig Llundain a'r porthladdoedd a Lerpwl a Coventry. Ni fu'r daith o Baris yn gyfforddus, meddai; roedd y cerbyd yn fudr a'r trên yn araf. Y rheswm, meddai M. Dufour, oedd *l'occupation.* Synhwyrodd Gwen ei fod yn gwarafun i Brydain na chafodd ei goresgyn gan yr Almaenwyr.

Parhaodd yr ymddiddan, nad oedd yn hollol at ei dant, nes bod y botel yn dri-chwarter gwag, ac erbyn hyn roedd yn amlwg fod M. Dufour wedi cael gormod i yfed, a chododd hi i ymadael. Cododd yntau a dweud ei bod hi'n ferch ddeniadol, a cheisiodd ei chusanu a'i hanwesu. Gwingodd hithau a rhoi bonclust iddo nes iddo'i gollwng a chuchio'n sorllyd. Pan geisiodd ei rhwystro rhag dianc, cydiodd Gwen yn ei gwydryn a thaflu gweddill y ddiod i'w wyneb.

"Rhag cywilydd i chi," meddai. "Dwi ddim yn un o'ch morynion. Os ydech chi am gael eich difyrru, ewch i'r gegin at

Louise. Dwi'n siŵr y byddai hi'n fodlon," a ffodd.

Ni ddywedodd M. Dufour air wrthi wrth y bwrdd cinio ganol dydd, a gwnaeth hithau ei gorau glas i ymddwyn fel pe na bai dim wedi digwydd rhyngddynt. Ond o hynny ymlaen clodd ddrws ei hystafell wely. Do, fe ymddiheurodd iddi, ond serch hynny teimlai Gwen yn bur aflonydd. Gadawodd y digwyddiad flas annymunol ar ei ôl.

Er gwaethaf y gwaith smwddio a'r ffaith ei bod yn gorfod helpu yn y gegin, bu'r egwyl yn werthfawr. Roedd Madame Dufour yn garedig a'r arian poced yn hael, er nad oedd llawer y gallai ei wario arno. Mwynhâi'r bechgyn a hithau gwmpeini ei gilydd, ac erbyn dydd ei hymadawiad medrai siarad Ffrangeg yn lled rugl — a hyd yn oed y dafodiaith a glywsai yn y gegin. Ceisiodd M. Dufour wneud iawn am y sarhad drwy roi potel o'i win gorau iddi wrth ganu'n iach yng ngorsaf Bordeaux, a mawr oedd ei phleser wrth dorri'r daith yn ôl yn Poitiers, Paris, a Versailles. Do, fe fanteisiodd Madame arni i raddau, ond rhoes cydweithio gyda Louise y forwyn a Madeleine y gogyddes gip iddi ar fywyd gwahanol i fywyd ei chyflogwyr.

Ni chafodd unrhyw anhawster pan ailsafodd yr arholiad cyn dechrau'r tymor, a phenderfynodd bannu arni o hynny ymlaen, a chanolbwyntio ar ei gwaith yn ystod ei hail a'i thrydedd flwyddyn — ac eithrio'r amser a dreuliai yng nghwmni Alan. Fe hawliodd hwnnw fwy o'i hamser nag y medrid ei gyfiawnhau, er gwaethaf ei phenderfyniad i weithio'n ddiwyd.

Ar ei flwyddyn olaf yr oedd Alan. Cyfarfod mewn dawns a wnaethant a gwirionodd hi arno, ac ar ddiwedd y tymor, a'r arholiadau drosodd, gwelsant lawer ar ei gilydd. Y gyfraith oedd ei bwnc ef, a phan ddaeth tymor yr haf i ben, ac yntau'n ymadael i weithio mewn swyddfa twrnai dros dro cyn mynd i Gaer-grawnt, roedd ei hiraeth amdano yn llethol. Weddill yr haf, a hithau'n treulio rhai wythnosau yn ysgol haf Prifysgol Rennes, buont yn llythyru â'i gilydd, nes i'r ohebiaeth raddol ddirwyn i ben. Er gwaethaf bri Alan fel merchetwr, ni fynnai gydnabod mai ei ddifyrru dros dro a wnâi. Ni sylwodd fod ei ffrindiau yn cael hwyl am ei phen, a theimlai ei ymadawiad i'r byw nes i'r bwlch rhyngddynt ehangu gyda threigl y misoedd canlynol, a hithau'n sylweddoli mai dim ond fflam hawdd ei

14

diffodd oedd eu serch tybiedig wedi'r cyfan. Ond ar y pryd roedd y profiad yn ddeifiol.

Aeth Alan i Gaer-grawnt am ddwy flynedd a chollodd Gwen gysylltiad ag ef. Flynyddoedd yn ddiweddarach, darllenodd yn y wasg ei fod yn fargyfreithiwr llwyddiannus ac yn ymgeisydd seneddol dros y Blaid Lafur mewn etholaeth yn y De.

I raddau roedd hi'n ddiolchgar iddo adael Aber; gallai ganolbwyntio'n ddilestair ar ei hefrydiau o hynny ymlaen, a mawr oedd ei llawenydd pan enillodd radd dosbarth cyntaf.

Ar ôl cwblhau blwyddyn o ymarfer dysgu aeth Gwen i Strasbourg fel athrawes Saesneg gynorthwyol dan gynllun cyfnewid athrawon, ac wedi dychwelyd fe'i siomwyd gan iddi fethu cael swydd mewn man lle'r oedd y diwylliant Cymraeg yn lled fyw, a bu'n rhaid iddi fodloni ar swydd athrawes Ffrangeg yn nhref ddiwydiannol Aberwysg. Cystal, meddyliai, iddi fod yng Nghaerloyw neu Gaerlŷr. Dim ond oddeutu pedwar y cant o'r trigolion oedd yn Gymry Cymraeg eu hiaith, a dim mwy na deugain o'r rheini yn ddisgyblion yn yr ysgol ramadeg. Yr oedd holl naws a golwg y dref yn Seisnig. Llifai'r afon yn llesg drwy ei chanol heibio i'r dociau lle'r allforid glo a dur gynt i bedwar ban byd. Amheuai Gwen a fedrai ymgartrefu yno, ond penderfynodd y byddai'n rhaid iddi ei haddasu ei hun i'r amgylchfyd anghydnaws.

Prynodd Morris Minor ail-law a manteisio ar ei hagosrwydd at ddyffrynnoedd Wysg a Gwy a'u hyfrydwch. Weithiau âi i fwrw'r Sul gyda'i rhieni ar y fferm, lle y câi dawelwch ar ôl bwrlwm y dref a'r ysgol. Heblaw amdani hi, un athrawes yn unig oedd ar y staff, sef yr athrawes Saesneg. Roedd Joan dair blynedd yn hŷn na hi, a chan iddynt ill dwy deimlo fel llongau ar dir sych ymhlith yr holl ddynion, daethant yn gyfeillion agos. Roeddynt yn gytûn ynglŷn â diffyg diddordeb y disgyblion yn y pynciau yr oeddynt yn eu dysgu iddynt. Lleiafrif bach, sef yr wyth y cant yn y chweched dosbarth a fwriadai fynd i'r brifysgol, a rhai yn y pumed, a ddangosai frwdfrydedd academaidd, a rheini'n unig. Hwyrach mai siom fwyaf Gwen oedd y nifer bach a fynychai'r dosbarthiadau Cymraeg. Y gred gyffredinol ymlith y plant oedd na fyddai'r Gymraeg o fudd iddynt yn Aberwysg ac y gallent ei hepgor heb fawr o golled. Ond yr oedd dysgu'r dyrnaid a ddewisodd ei hastudio yn galondid, ac yr oedd hi'n falch fod hwn yn un o'r pynciau a 'wnaeth' yn y coleg. Ymaelododd â'r Gymdeithas Gymraeg a mwynhau'r cyfarfodydd yn fawr. Roedd y Gymdeithas fel ynys o Gymreictod yng nghanol môr Seisnigrwydd y dref.

Un o'r Cymry Cymraeg ar y staff oedd Bryan, yr athro cemeg, yntau hefyd yn mynychu'r Gymdeithas, ac o'r herwydd gwelent ei gilydd y tu allan i'r ysgol. Er i Bryan fod yn athro yno ers tair blynedd, ac er cystal ei yrfa academaidd ac iddo gael ei gyfrif yn athro da, nid oedd hi o'r farn bod ei alwedigaeth yn gweddu iddo fel y dylai. Hon oedd ei swydd ddysgu gyntaf, a'r olaf, gobeithiai, gan mai ar waith ymchwil oedd ei fryd. Er bod eu meysydd yn wahanol, rhannent lawer o ddiddordebau. Chwaraent denis yn dda, hoffent gerddoriaeth ac, yn wahanol i lawer gwyddonydd, carai Bryan lenyddiaeth, fel y gwnâi hithau, er bod eu chwaeth yn wahanol. Edmygai ef lenyddiaeth Lloegr, tra ymhoffai Gwen ym marddoniaeth Cymru a Ffrainc. Ond er gwaethaf hynny llwyddasant i rannu tir cyffredin, a'r ddrama oedd hwnnw yn bennaf, ni waeth o ba wlad y tarddai. Aethant droeon i Gaerdydd i weld drama a'u diddorai, a throeon i theatr Aberwysg ar achlysuron arbennig. Sylweddolai Gwen fod llawer peth o fewn cyrraedd i'w diddanu yn y dref ddiwydiannol hon a'i naw deg mil o drigolion, ac yn raddol daeth i ddygymod â byw yno gan werthfawrogi'r amrywiaeth a gynigid. Ni theimlai mwyach fel merch o gefn gwlad. Ehangwyd ei gorwelion gan ei hastudiaethau a'i blwyddyn yn Strasbourg — y teithiau i'r Fforest Ddu a'r Swistir a'i hymweliad â Pharis ar ei ffordd yn ôl i Brydain. Fe'i hystyriai ei hun yn soffistigedig, yn ferch brofiadol a chanddi wybodaeth o'r byd y tu hwnt i ffriddoedd a threfi bychain y Canolbarth.

O fyw yn Aberwysg cafodd gipolwg ar y gorffennol pell drwy berspectifau hanes. Ryw brynhawn Sadwrn aeth hi a Bryan i Gaerllion, ac i 'Isca', *Castra Legionum* y Rhufeiniaid a thremio ar yr olion ac ar y cloddiadau gan synfyfyrio ar dreigl y canrifoedd a throeon hanes. Yr adeg honno, ac am genedlaethau lawer wedyn, y Rhufeiniaid fuasai'n teyrnasu. Ond goroesodd y Brythoniaid, ac yna daethai'r Saeson, a phrin, erbyn hynny, oedd arwyddion o'r Cymreictod gynt. Daethai'r Normaniaid a chodi eu cestyll, fel hwnnw yng Nghas-gwent, ac oddi ar hynny y Saeson oedd biau hi ymron yn llwyr. Doedd gan Gwen ddim gwrthwynebiad i Saeson, fel y cyfryw, ond gallent fod, yn ei thyb hi, lawn mor drahaus â'r Rhufeiniaid a'r Normaniaid.

Y prynhawn hwnnw digwyddodd rhywbeth iddi a ymdebygai i brofiad cyfriniol, fel pe'i cipiwyd o'r fan a'r lle drwy ddimensiwn gofod ac amser i fyd dieithr a chynharach lle ymdeithiai catrodau o filwyr Rhufeinig a'u *insignia*. Fe'u gwelodd yn brwydro â'r Brythoniaid, ac yna'r ddau yn ymdoddi i'w gilydd i greu gwareiddiad Romano-Celtaidd — gwareiddiad a oedd yn parhau yn ei gwaed a'i genynnau. Fe'i trosglwyddwyd i oes gynharach fyth ac at bobl gyntefig y cyniweiriai eu gwaed hwy, hefyd, yn ei gwythiennau. Yna diflannodd yr ymdeimlad rhyfedd, a hithau fel pe'n dadebru o drymgwsg, a dyna Bryan yn sefyll wrth ei hochr. Ni chafodd fyth wedyn brofiad tebyg, ond dychwelodd yr atgof yn ystod y dyddiau dilynol i'w haflonyddu a'i drysu.

Wrth i'r misoedd fynd heibio, a hithau wedi ymgartrefu, fwy neu lai, yn Aberwysg, peidiodd ei hymweliadau penwythnosol â'i chynefin, a threuliai'r Sadwrn a'r Sul fwyfwy yng nghwmni Bryan neu Joan, a dychwelyd adref dros y gwyliau. Erbyn tymor yr haf credai ei bod wedi ymserchu yn Bryan dros ei phen a'i chlustiau — doedd dim dwywaith amdani. Ond ni wyddai beth oedd ei deimladau ef tuag ati hi; hwyrach iddo eu cuddio rhag i'r staff amau eu bod yn gariadon a chael hwyl am eu pennau — sefyllfa a fynnai hithau hefyd ei hosgoi ar bob cyfrif. Byddai'n siomiant o'r mwyaf ped ailadroddid ei phrofiad gydag Alan, ond erbyn hyn roedd hwnnw wedi cilio i'r gorffennol pell a heb adael unrhyw hiraeth ar ei ôl. Ond parodd y profiad hwnnw iddi fod yn wyliadwrus. Cymer ofal, meddai llais bach o'r tu mewn iddi; paid â dangos dy deimladau . . . Ond rhaid fod Bryan yn andros o hoff ohoni i dreulio cymaint o'i oriau hamdden gyda hi.

Yna, a thymor yr haf yn dirwyn i ben, awgrymodd Bryan, yn gwbl annisgwyl, eu bod nhw'n mynd i rywle i fwrw'r Sul. Dyma'r unig gyfle cyn y gwyliau, meddai. Yn union wedi i'r ysgol gau byddai'n mynd i'r Swistir a'r Eidal am fis. Gan na welai mohoni am chwech wythnos, byddai'n braf cael bod ar eu

17

pennau eu hunain am sbel heb boeni am fynd i'r ysgol drannoeth.

Petrusodd Gwen cyn rhoi ateb pendant iddo. Rhaid oedd iddi ystyried y peth, meddai. Doedd hi ddim yn siŵr a oedd yn beth call i'w wneud. Erfyniodd yntau'n daer arni. Byddai treulio deuddydd gyda'i gilydd yn nefolaidd. Pam lai? On'd oedden nhw'n ffrindie . . . wel, yn fwy na hynny, gobeithio. Cyn belled ag yr oedd hi yn y cwestiwn, meddai, yr oeddynt yn fwy na ffrindiau. Cydiodd Bryan yn ei dwylo a sbio arni'n ymbilgar. Meddyliai y byd ohoni, meddai; peidied hi â gwrthod. Yn meddwl y byd ohoni. Ond eto ni ddywedodd air am ei charu. Hwyrach ei fod o'n un o'r rhai hynny na fedrent fynegi eu teimladau yn ddigymell, neu ynteu ni fynnai ymrwymo wrth neb yn fyrbwyll. Ni ddymunai hithau hynny, 'chwaith. Bydd yn wyliadwrus, meddai'r llais bach drachefn. Ond beth oedd a wnelo gwyliadwriaeth â serch?

Rhoddai ateb iddo drannoeth, meddai. Roedd ambell beth i'w ystyried. Doedd hi ddim am benderfynu ar unwaith rhag ofn iddi 'ddifaru yn nes ymlaen. Ac ni wnâi ddim drwg iddo ddyfalu am ddiwrnod. Gwell bod yn bwyllog, neu ymddangos felly. Eto i gyd, roedd hi ar bigau'r drain i gael mynd gydag ef.

Gwyddai'n iawn beth fyddai ei hateb.

§

Yng nghar Bryan y teithient a chiniawa ganol dydd ym Mynwy, gan syllu i lawr ar afon Gwy yn ymddolennu islaw yn Symonds Yat. Ar ôl taith gwmpasog cyraeddasant y Gelli lle'r oedd Bryan eisoes wedi sicrhau dwy ystafell wely gyfagos mewn gwesty clyd, gan fod safle Rhufeinig a murddun castell a losgwyd gan Owain Glyndŵr yn agos. Pan ddychwelasant i'r gwesty aeth Gwen i'w hystafell i 'molchi a newid o'i llodrau i ffrog haf.

Fel roedd hi'n dadwisgo, daeth Bryan i mewn yn ddirybudd a'i gweld hi'n sefyll o flaen drych y wardrob yn ei dillad isaf. Gwyddai Gwen o'r gorau fod merch yn ei dillad isaf yn cyffroi dyn yn fwy na merch noeth. Nid ymddiheurodd Bryan am dorri ar ei thraws ond camodd ati yn flysiog a'i gwasgu ato'n ddi-

18

seremoni a'i chusanu'n orffwyll a hithau'n ymateb yn eiddgar. Gwthiodd hi wysg ei chefn at erchwyn y gwely a pharhau i'w chusanu ar ei gwddf a'i cheseiliau a'i hanwylo'n wyllt. Na, meddai hi, ddim rhagor . . . rŵan. Yn nes ymlaen. Roedd hi'n rhy gynnar. Gwell aros tan y nos. Dim ond rhagflas oedd hwn i fod.

"Wyt ti'n addo?"

"Ydw, ond cymer ofal. Dydw i ddim am ddod i drwbwl."

"Mi gymera i ofal, paid ti â phryderu. Rydw i'n rhy hoff ohonot i wneud dim byd nad wyt ti mo'i isio."

"Os wyt ti'n fy ngharu . . ."

"Rydw i'n gwirioni arnat ti."

"A finne arnat tithe. Mi fydda i mewn hwyl dda, gei di weld. Mi wna i dy synnu di. Mi fydda i fel gafr ar d'ranne."

"A minne fel bwch gafr."

Wedi iddo ymadael golchodd Gwen ei hwyneb a gwisgo ffrog goch laes gyda gwregys gwyrdd cul am ei chanol a chribo'i gwallt. Ydw, meddyliodd wrth edrych yn y drych, mi ydw i'n ddeniadol. Mae dynion yn hoffi merched â choesau hirion. Wel, mae 'nghoesau i'n hir a lluniaidd, a dim fferau chwyddedig na dim byd felly. Yn fy 'sgidie sodlau uchel, mi ddylen nhw dynnu dŵr o ddannedd dyn! Am y tro cynta oll, mi ydw i am fwynhau fy hun yn iawn efo Bryan. Mi geith o weld! Ceith flasu pob tamaid o 'nghorff — ac mae o'n gorff hardd . . . Rhyfedd; wnes i 'rioed feddwl fel hyn o'r blaen. Fo a'm cyffrôdd a chynnau tân ynof, a hwyrach y caiff o ei losgi hefyd! Mi fydda i ar bigau'r drain heno. Ceith fy ngharu i, gorff ac enaid, gorff yn arbennig. Dyna'r ffordd i'w rwymo fo. Rhoes fymryn o finlliw ar ei gwefusau a chwistrellu persawr ar ei bronnau a than ei cheseiliau. A'r ymbincio drosodd, aeth i lawr i'r bar lle disgwyliai Bryan amdani.

"Rwyt ti'n edrych yn fendigedig," meddai. "*Dressed to kill.* Rwyt ti'n ddigon i droi pen dyn."

"Dyna'r diben."

"Be gymeri di? Sieri?"

"Os gweli di'n dda."

Roedd yntau'n daclus, hefyd, meddyliai, yn ei lodrau trwsiadus a'i grys coler agored, ac yn arogleuo o sebon. Gwelsai

19

ddynion mwy golygus nag ef — Jack Wilson, er enghraifft, yr athro ffiseg. Roedd hwnnw'n Apolo o ddyn, yn ei ffansïo'i hun ac yn ceisio ei orau glas i fachu Joan — ond yn aflwyddiannus. Roedd o'n briod hefyd, a doedd ganddi ddim i'w ddweud wrth ddynion priod a oedd yn barod i neidio i mewn i wely diarth efo merch.

Gorffenasant eu sieri ac yna ymlwybro'n hamddenol i lawr at lan afon Gwy i ddifyrru'r amser nes oedd hi'n bryd dychwelyd i'r gwesty am ginio. A hwnnw drosodd, ac wedi yfed coffi yn y lolfa, aethant allan drachefn i sawru'r awyr hwyrol, gynnes.

Ar y ffordd yn ôl i'r gwesty chwibanodd Gwen dôn.

"Be 'di hwnna?" gofynnodd Bryan.

" 'Parlez-moi d'amour'. Mae gen i record ohoni hi."

"Piti nad ydi hi gen ti rŵan. Mi wnâi gefndir cerddorol ardderchog yn nes ymlaen."

"Fydd dim angen cefndir cerddorol."

§

Roedd hi'n tynnu at hanner awr wedi un ar ddeg pan ddaeth Bryan i mewn i'w hystafell. Diffoddodd olau'r nenfwd a chynheuodd hithau lamp erchwyn gwely. Gorweddai ar y gwely yn ei ddisgwyl yn ddiamynedd a'i holl gorff yn crynu gan nwyd.

"Cymer ofal," fe'i rhybuddiodd.

"Paid â phoeni."

Ecstasi diledryw oedd ymdrybaeddu mewn cnawdolrwydd diymatal y noson honno. Llifai tonnau o chwant anniwall drostynt a'u cludo i'r eigion ac yna eu taflu yn ôl ar draethell bellennig. Ni wyddai Gwen am ba hyd y parhaodd, dim ond eu bod yn crefu'n wyllt am ei gilydd.

"Dwyt ti ddim yn *virgo intacta* rŵan," meddai Bryan, wedi i'r storm ostegu, "ond mi gymerais ofal. A dyma gusan arall i ti — un ddiwair y tro yma."

Cusanodd hi'n dyner ar ei boch a'i thalcen, ac yna gwisgodd ei ddillad nos a'i ŵn-wisg a chau'r drws yn ddistaw ar ei ôl wrth ymadael.

Diffoddodd Gwen y lamp ond ni allai gysgu. Ni wyddai tan y

noson honno y gallai pleserau rhyw fod mor llethol ac ysgubol, a synnodd at ei gallu i godi chwant Bryan. Fe'i darganfu ei hun o'r newydd; ni fyddai hi yr un fath o hyn ymlaen. Os mai cariad oedd hwn, ac nid anlladrwydd a blys y cnawd yn unig, nid oedd dim i ofidio amdano. Roedd hon yn noson i'w chofio; dichon na ddigwyddai ei thebyg fyth eto.

Llithrodd i ddyfnder cwsg yn ddiedifar.

§

Penderfynodd Gwen a Joan fynd am bythefnos o wyliau i Ucheldiroedd yr Alban i weld rhan o'r byd oedd yn gwbl ddieithr iddynt. Er cymaint yr hoffai fod gartref ym Mheniarth, ni fynnai Gwen dreulio'r holl wyliau hir yno. Pe bai Bryan wedi ei gwahodd i fynd gydag ef i'r Cyfandir, derbyniasai'r gwahoddiad yn ddiymdroi; ond ni wnaeth. Roedd eisoes wedi trefnu gyda chyfaill i fynd yno yn union wedi i'r ysgol gau. Ni fedrai oedi am wythnos, meddai; mynnai ei heglu hi a gweld lleoedd newydd, yn union fel hithau, meddyliodd. Fe olygai'r daith hir i'r Alban eu bod yn mynd cyn belled ag y medrid o Gymru, a gobeithiai Gwen y gallai'r Morris Minor ail-law ymdopi â'r siwrnai faith.

Pan gyrhaeddodd hi adref roedd dau gerdyn oddi wrth Bryan yn ei haros — un o Genefa a'r llall o Fflorens. Doedd o ddim wedi anghofio amdani, felly; edrychai ymlaen yn eiddgar at ei gweld hi eto, meddai. Doedd dim rhyfedd yn y byd, meddyliodd hi, ar ôl eu profiad cyffrous yn y Gelli. Tybed a ddyheai ef am gael ailadrodd y profiad? A hithau, hefyd? Nid oedd yn siŵr.

Wythnos cyn dechrau'r tymor daeth Bryan i ymweld â hi yn annisgwyl. Wrth lwc, roedd hi gartref y diwrnod hwnnw, ond er iddi ei groesawu'n frwd, teimlai beth embaras rhag ofn i'r ymweliad beri camargraff i'w rhieni. Na, dim ond aelod o'r staff oedd o, eglurodd; doedd dim byd rhyngddyn nhw. Dim byd y gallai ei grybwyll, beth bynnag, meddai wrthi'i hun.

Aethant am dro drwy'r caeau ac i fyny'r bryniau, ac yno, heb enaid byw yn y golwg, cofleidiasant a chusanu'n wyllt.

"Ti'n gweld," meddai Bryan, "fedra i ddim cadw draw oddi

wrthat ti nac aros tan ddechrau'r tymor i dy weld di. Ro'n i'n meddwl amdanat ti yr holl amser roeddwn i ar y Cyfandir ac yn hiraethu'n ofnadwy amdanat ti."

"Wel, dyma fi. Wyt ti'n fodlon?"

"Ydw, 'tad. Ond ro'n i'n gobeithio am fwy na jest dy weld di a rhoi cusan go iawn iti."

"Paid â thrio 'nhreisio i."

"Does 'na neb i'n gweld ni."

"Nac oes, ond nid dyna'r pwynt."

"Be ydi'r pwynt?"

"Hidia befo."

"On'd yden ni'n gariadon?"

"Yden, gobeithio."

"Faset ti'n 'y mhriodi i taswn i'n gofyn i ti?"

"Paid â phonsio. Mae hi'n rhy fuan i feddwl am y peth. Mae gen i yrfa o'm blaen, a hon yw fy swydd gynta, cofia. Beth bynnag, dwyt ti ddim wedi gofyn i mi dy briodi di."

"Naddo; archwilio'r tir oeddwn i, fel tae. Ond beth am gael penwythnos efo'n gilydd rŵan ac yn y man?"

"Cawn weld."

"Dwyt ti ddim yn swnio'n awyddus iawn."

"Gwranda, da thi. Newydd ddŵad nôl o 'ngwyliau ydw i, a thithe hefyd. Gad lonydd i mi am dipyn yn lle trio 'nghadw i fel sosban ar ferw. A phaid ag edrych yn bwdlyd. Mae 'na amser i bopeth."

"Wyt ti'n cofio be ddudodd Morgan Llwyd?"

"Ydw, 'tad. 'Amser dyn yw ei gynhysgaeth a gwae a'i gwario yn ofer'."

"Wel, pam na ddylien ni achub y cyfle i beidio â'i wario'n ofer?"

"Mae'n dibynnu beth wyt ti'n feddwl wrth 'ofer'."

"Peidio byw i'r eithaf a mwynhau bywyd tra medrwn ni."

Ceisiodd ei tholach ond ymryddhaodd Gwen a chodi ar ei thraed. Roedd yn bryd mynd. A oedd o am aros am baned, a blasu cacen gri ei mam? Fe'i mwynhâi. Gwnâi, meddai; doedd o ddim wedi cael cacen gri ers tro byd.

Braidd yn ystrydebol a dibwrpas oedd yr ymddiddan

rhyngddynt wrth iddynt lwybreiddio fraich ym mraich i lawr at y fferm.

"Ches i ddim o hanes dy wylie ar y Cyfandir," meddai.

"Wnest ti ddim holi."

Aeth rhagddo i sôn am yr hyn a welodd yn y Swistir, Fflorens, Perugia, a Rhufain.

Roedd yn amlwg fod Bryan wrth ei fodd ym Mheniarth. Canmolodd y gacen gri a'r jam cyrens duon a'r bara brith a'r menyn cartref. Siaradai'n rhwydd fel pe bai rhieni Gwen ac yntau yn hen ffrindiau, gan synnu braidd, efallai, nad tyddynwyr cefn gwlad mohonynt eithr ffermwyr lled gefnog yn ffermio dros bum can erw fras yn ymestyn o lawr y dyffryn hyd at odrau'r bryniau a'r ffriddoedd. Hwn oedd ei ymweliad cyntaf ag un o ffermydd Sir Drefaldwyn, ac roedd Gwen yn falch o sylwi ar yr edmygedd na cheisiodd ei fygu. Ymholodd yn ddeallus am y da byw a chyflwr y farchnad, a mynegi ei werthfawrogiad o'r ffaith bod y tarw Henffordd wedi ei wobrwyo yn y Sioe Frenhinol a ffald o ddefaid croesfrid wedi ennill gwobr gyntaf yn Sioe Powys y flwyddyn cynt. Fel cemegydd, meddai, hoffai wybod mwy am ddatblygiadau ffermio gwyddonol, er bod cemeg amaethyddol y tu allan i'w faes, ac ymfalchïodd Gwen yn y diddordeb a ddangosai ac yntau'n gwybod y nesaf peth i ddim am amaeth. A phan holodd ei thad ef am ei deulu, siaradai'n agored am ei dad, oedd yn dwrnai yng Nghaer, ac am y gymdeithas Gymraeg yn y dref honno, fel petai'n ceisio gwneud argraff dda ar ei rhieni. Paid â bod yn rhy siaradus, meddai Gwen wrthi'i hun. Mae 'Nhad yn ddigon craff i weld trwy ymffrost parablus.

"Mae gynnoch chi ferch ddeniadol iawn, Mrs Thomas," meddai Bryan wrth ymadael, a chochodd Gwen at ei chlustiau. "Diolch yn fawr iawn am eich caredigrwydd, ac am y gacen gri fendigedig."

"Galwch heibio eto," atebodd ei mam. "Byddwn yn falch o'ch gweld, yn falch iawn, iawn."

Ond nid oedd tad Gwen mor galonnog. Llygadai Bryan yn dreiddgar gan ddweud dim mwy nag yr oedd cwrteisi yn ei hawlio.

"Gŵr ifanc hoffus iawn," meddai ei mam.

"O, ydi, yn ddigon hoffus," ebe ei thad heb frwdfrydedd, "ond yn rhy siaradus."

"Ydech chi ddim yn 'i hoffi o?" gofynnodd Gwen, yn siomedig.

"Does gen i ddim byd yn ei erbyn o, ond ei fod o braidd yn rhy awyddus i greu argraff dda, a fynte yma am y tro cynta."

"Wel, nid twpsyn cefn gwlad ydi o."

"Na finne 'chwaith," meddai ei thad yn swta.

"Nid dyna ro'n i'n feddwl."

"Be oeddet ti'n feddwl, 'te?"

"Mae o'n eitha clên, John," torrodd ei mam ar eu traws, gan ofni ffrae. "Paid â bod mor ddrwgdybus."

"Ydi o'n dy ganlyn di?" gofynnodd ei thad.

"Ryden ni'n ffrindie. Ar yr un staff, chi'n gwbod."

"Wyt ti'n ei garu o?"

"Gad lonydd iddi, John," meddai ei mam yn geryddgar. "Dydi hi ddim yn hogan, a phaid â'i phryfocio hi, da thi."

Nid atebodd Gwen. Doedd dim rhaid i'w thad holi a stilio fel hyn; ond dyna sut un oedd o, yn beirniadu pobl fel 'taen nhw'n dda byw, ac roedd o'n brofiadol iawn yn hynny. Roedd ei gorff tal, cadarn i'w weld ym mhob arwerthiant a sioe leol, a'i fathodyn mawr melyn yn dangos ei fod yn un o'r beirniaid. Edrychid arno â pharchedig ofn ac edmygedd yn hytrach nag â hoffter. Sylweddolodd Gwen nad oedd ei thad yn hoffi Bryan ar yr olwg gyntaf, a chan amlaf roedd ei ddadansoddiad o bobl yn un cywir. Dichon iddo ganfod yn Bryan rywbeth na sylwodd hi arno. Ond ta waeth, ei chariad hi oedd o, ac nid hogan mohoni bellach, er bod ei thad yn ei thrin felly.

Ei chariad hi, ie. Gwirionai arni, meddai, ond ni fu sôn am briodi — ddim o ddifri, p'run bynnag! A gwell oedd bod yn bwyllog a gwyliadwrus, yn enwedig o gofio ei phrofiad siomedig efo Alan. Gadawodd hwnnw hi ar y clwt, megis. A doedd gwirioni ar rywun ddim yr un fath â charu. Bu hithau mor nwyfus a gwyllt ag ef y noson honno yn y Gelli, ond er mor anhraethol y pleser ni fynnai ei wneud yn arferiad.

Ond tybed?

Un peth yn arbennig a'i plesiodd ar ôl dychwelyd o'i gwyliau yn yr Alban, sef llwyddiant ei ddisgyblion chweched dosbarth yn yr arholiad Lefel A. Byddai Miss Richards, *head of French,* yn falch o hynny hefyd. Cafodd tri ohonynt 'A' ym mhob pwnc, a dau arall 'B' yn Ffrangeg, ac enillodd un o'r bechgyn ysgoloriaeth ac *exhibition* i fynd i Rydychen, tra derbyniwyd ei hoff ddisgybl gan Goleg Emmanuel, Caer-grawnt. Fe âi'r gweddill i Aber neu Fangor, ac un i Abertawe. Ac o ystyried mai ffrwyth ei blwyddyn gyntaf yn Aberwysg oedd y rhain, credai fod ganddi bob hawl i ymfalchïo ynddynt. Er eu bod yn blant galluog — a hyd yn oed yn ddisglair — medrai ei llongyfarch ei hun am ei rhan yn eu llwyddiant. Un disgybl yn unig a ddewisodd ddilyn cwrs gradd yn y Gymraeg, ac i Aber y byddai hwnnw'n mynd. Roedd hi'n falch o hynny, hefyd.

§

Roedd Bryan yn ddigon call i beidio â dangos i weddill y staff fod rhywbeth rhyngddynt. Aent i'r Gymdeithas Gymraeg a mynychu cyngherddau o dro i dro — weithiau yng nghwmni Joan — ac yna, ar ddiwedd yr ail dymor, awgrymodd Bryan eu bod yn treulio ychydig ddyddiau gyda'i gilydd yn Llundain yn ystod gwyliau'r Pasg.

I Lundain yr aethant felly — ond nid fel gŵr a gwraig, fel y dymunai Bryan. Cawsant ddwy ystafell ar wahân yn un o'r gwestai Cymreig yn Cartwright Gardens.

Dyna braf oedd crwydro'r parciau a'r Mall a gwylio'r hwyaid ym Mharc Sant Jâms a'u cynffonnau'n dowcio ac yn ymsythu wrth chwilio am bryfed. Aethant i'r theatr i weld drama Agatha Christie, *The Mousetrap,* a fu'n rhedeg am ddegawdau. Ymwelasant ag Oriel y Tate a'r Oriel Genedlaethol, ac un noswaith aethant i gyngerdd symffoni. Roedd Gwen am dalu drosti'i hun, ond ni chaniataodd Bryan hynny. Efô a'i gwahoddodd hi, meddai. Fe ganiatâi iddi dalu am ei thocyn trên, ond fe dalai ef am bopeth arall. Doedd hi ddim yn fodlon ar y trefniant hwn; golygai ei bod yn ddyledus iddo, ac ni ddymunai hynny. Ond os oedd o'n bendant, purion. Nid oedd yn werth ffraeo yn ei gylch.

Ar ôl diwrnod o ruthro yma ac acw a gweld llawer o bethau a lleoedd aeth Gwen yn flinedig i'w gwely i ddarllen am ychydig cyn cysgu, gan adael Bryan yn sgwrsio â gwesteion eraill. Yn y man curwyd wrth y drws yn ddistaw — unwaith ac yna eilwaith. Fe'i datglôdd a daeth Bryan i mewn, hwyrach i hawlio tâl am ei haelioni, meddyliodd hi, ond doedd hi ddim am ildio iddo y tro hwn. Os ydi o'n fy ngharu i, mi adewith lonydd i mi, meddyliodd. Aeth yn ôl i'w gwely.

"Mi gei di aros am funud neu ddau," meddai, "ond dim mwy. Dwi wedi blino'n llwyr ar ôl yr holl gerdded 'na."

"Mi wna i dy ddadflino di."

Roedd golwg gyffrous arno a'i wyneb yn wridog, fel pe bai wedi bod yn diota. Daeth ati a dechreuodd ei chusanu'n flysiog ac anwylo'i bronnau.

"Paid," erfyniodd arno. "Gad lonydd i mi. Dwi i ddim yn yr hwyl. Mi ddudes i wrthat ti 'mod i wedi blino."

"Mi gynhyrfa i di." Roedd arogl diod ar ei wynt.

Pan blygodd drosti a'i chusanu'n wyllt ceisiodd ei wthio ymaith a throi oddi wrtho. O'r diwedd fe'i gollyngodd.

"O'r gore," meddai, yn frwnt ac yn ffyrnig. "Pwy yn ei iawn bwyll sydd isio cnuchio efo blydi bitsh o gelain?"

Brasgamodd at y drws a gwyliodd Gwen ef yn ymadael heb edrych yn ôl ac yn cau'r drws â chlep. Cododd hithau i ymolchi, gan deimlo bron fel cyfogi ar ôl ei gusanu glafoeriog ac alcoholaidd.

Bryan ar ei newydd wedd oedd hwn. Bryan cwrs a rhwystredig. A'r iaith . . . "Blydi bitsh o gelain" oedd hi, ai e? Hwyrach mai cynllwyn fu'r daith i Lundain iddyn nhw gael 'cysgu' gyda'i gilydd ac ailadrodd y noson yn y Gelli, er iddi ddweud wrtho na fynnai hynny. Roedd yn amlwg ei fod o wedi penderfynu'n amgenach. Hyd yn oed os mai ar y ddiod yr oedd y bai, ac yntau wedi dal i slotian yn y bar, nid oedd hynny'n esgusodi ei ymarweddiad cywilyddus. Tybed, wedi'r cyfan, ai hwn oedd y Bryan gwirioneddol, wedi'i ymddihatru o'i wisg gaboledig a hoffus? Prin y gallai hi gredu ei fod mor gyfrwys a diegwyddor. Cyn y noswaith hon ni fu dim arwydd o hynny. Ond nid ar chwarae bach y câi ei galw hi'n "bitsh o gelain", hyd yn oed heb y "blydi". Os mai gordderch oedd hi i fod, yn wrthrych cnuchio — gair hyll — nid oedd ganddi ddim rhagor i'w ddweud wrtho, er cymaint y boen.

Ar ôl pwl o wylo sychodd ei llygaid a diffodd y golau.

Drannoeth hi oedd y cyntaf i eistedd wrth y bwrdd brecwast. Efallai fod Bryan wedi cysgu'n hwyr ar ôl yr holl ddiod. Llyncodd ei sudd grawnwin ac aros am y coffi, y bacwn ac wy, a'r tôst. Roedd hi ar ei hail gwpanaid pan ddaeth Bryan ac eistedd gyferbyn â hi. Ni ddywedodd yr un gair, dim 'bore da' hyd yn oed. Ni holodd sut y cysgodd hi. Efallai, meddyliodd Gwen, fod arno gywilydd o'i ymddygiad y noson cynt. Ffidlodd â'i gyllell a'i fforc, fel pe na wyddai beth i'w ddweud. Arllwysodd gwpanaid a'i sipian yn ddifater. Yna sbiodd arni heb dorri gair, ac yna tyllodd ganol yr wy â'i gyllell a gwylio'r melyn yn ymdaenu dros y gwyn ac yn ymuno â'r saim. Yna torrodd y croen oddi ar y bacwn a'i osod o'r neilltu fel pentwr bach o bryfed genwair. Braidd y disgwyliai iddynt wingo fel pethau byw.

"Wel?" gofynnodd Gwen, er nad ei bwriad hi oedd siarad gyntaf.

"Wel, be?"

Cododd ei hysgwyddau. Roedd o'n gwybod yn iawn be, os nad oedd ganddo gof fel rhidyll a chroen fel crocodil.

" 'Sgen ti ddim mwy na hynny i'w ddweud?"

Gwthiodd Bryan ddernyn o fara o gwmpas ei blât i amsugno'r melynwy a'r saim.

"Mae'n ddrwg calon gen i am neithiwr," atebodd. "Ro'n i wedi yfed gormod."

"Oeddet. Ond doedd hynny ddim yn esgus dros ymddwyn fel y gwnest ti."

"Nac oedd."

"Wel, 'te?"

"Dwi'n ymddiheuro."

"Wyt, siŵr. Wyt ti'n cofio be ddudest ti? 'Cnuchio', 'blydi bitsh o gelain'."

"Ddudes i hynny?"

"Do. Mi wyddost ti'n iawn be ddudest ti. Paid â chogio na wyddost ti ddim . . . Bwyta dy frecwast cyn iddo oeri, a brysia.

27

Mae'r saim yna'n f'atgoffa am dy gusanu budr."

Glanhaodd ei blât â'r bara a thaenodd hi farmalêd ar ei thrydydd triongl o dôst.

"Mi gei di orffen dy frecwast ar dy ben dy hun a chael rhywbeth i gnoi cil arno ar ôl i ti orffen dy facwn. Cig moch i fochyn. Dwi am fynd."

"I ble?"

"Wn i ddim."

"Roeddwn i isio dy garu di."

"Oeddet, ond dy iaith a'm poenodd i fwya. Doedd mo'i hangen . . . Rho 'nhocyn i mi ac mi bacia i 'mhethe a mynd am y trên."

"A 'ngadel i ar fy mhen fy hun?"

"Pam lai? Chei di fawr o bleser yn cerdded o gwmpas efo blydi bitsh o gelain."

Tynnodd ei waled o'i boced a rhoi'r tocyn iddi.

"Mi gei di rywbeth gwell na bitsh o gelain yn Soho neu Tottenham Court Road neu Piccadilly heno," meddai hi. "Dwi'n siŵr y bydd 'na ddigon o ddewis os mai isio rhywun i gnuchio efo ti yr wyt ti. Maen nhw'n fwy profiadol na fi. Ond bydd raid i ti dalu."

Plygodd ei napcyn yn ddestlus a mynd i holi am y trenau o Paddington i Aberwysg.

Roedd y dagrau'n dechrau cronni erbyn iddi fynd i'r stryd a cherdded ar hyd Ffordd Euston. Ar ôl cloi ei bag mewn cwpwrdd gwarchod eiddo, aeth ymlaen i lawr Tottenham Court Road a chyrraedd yr Amgueddfa Brydeinig yn y man. Cystal iddi dreulio awr neu ddwy yno cyn cael pryd o fwyd a dal y trên prynhawn o Paddington.

Ar ôl bodloni'i chwilfrydedd yn yr Amgueddfa, aeth i chwilio am fwyty a chanfod un ag enw Groeg wrth ben y ffenest, rhywbeth tebyg i 'Enteritis', meddyliodd. Darllenodd y fwydlen a gofyn am *moussaka*. Ni wyddai'n iawn beth oedd hwnnw, ond roedd yn flasus a helaeth a chafodd ddigon ohono i ddiwallu ei harchwaeth am ddiwrnod cyfan. Wedyn crwydrodd drachefn a dod o hyd i fainc wag yn Russell Square.

Gorweddai trempyn barfog ar ei hyd ar fainc gyfagos â phapur newydd wedi ei daenu dros ei wyneb. Er nad arferai hi smocio, tynnodd baced a brynodd yn ystod y bore o'i bag llaw a chynnau sigarét. Smociodd ddwy a rhoi'r gorau iddi. Na, doedd hi ddim yn mwynhau smocio. Gan amlaf gwrthodai sigarét pan gynigiai rhywun un iddi, ac ni hoffai'r bobl hynny a geisiai wthio un arni a'i gorfodi i smocio, fel pe bai hynny'n ofynnol. Dyna un peth na fedrai mo'i ddioddef; mwg baco fel niwl yn ystafell gyffredin yr ysgol yn ystod egwyl y bore — a rhai o'r dynion yn smocio fel simneiau. Caeodd ei llygaid a thynnu'i chôt yn dynnach amdani. Ymhen peth amser sbiodd ar ei horiawr. Byddai'r trên yn 'madel mewn dwyawr. Cododd o'r fainc a dodi'r paced sigarennau a'r blwch matsys ar fol y trempyn wrth fynd heibio. Byddai eu darganfod wrth ddeffro yn rêl trêt. Yn ôl pob tebyg chwilio am stybiau ar hyd y pafin ac yn y cwteri a wnâi, a chwilmantan mewn biniau 'sbwriel am ei gysur truenus.

A fu hi'n rhy fyrbwyll yn gadael Bryan tybed, meddyliai, wrth bensynnu a thremio drwy'r ffenest ar y tirlun yn gwibio heibio? Wedi'r cyfan, fe fu'n hael iawn wrthi ac roedd hi wedi mwynhau yr egwyl yn Llundain. Ond Bryan newydd, Bryan diarth, oedd hwn; casaodd gael ei chrafangio ganddo a theimlo'i boer alcoholig yn slobran dros ei hwyneb a hithau'n deud wrtho am beidio. Blys brwysg oedd hyn, nid gorffwylledd serch, a thrachwant dyn na fedrai mo'i feistroli ei hun. Hwyrach ei fod o ar fin ei threisio. Beth amgen na threisio fyddai cael cyfathrach rywiol yn erbyn eich ewyllys? Dim ond cnuchio — gair annymunol yr oedd gan y Saeson air aflednais pedair-llythyren amdano na fynnai hi ddifwyno'i gwefusau wrth ei ynganu.

Roedd y noson honno yn y Gelli yn dra gwahanol. Parhâi i ddyheu yn anniwall amdani, a bu'r profiad fel math o weledigaeth newydd. Am ddeuddydd bu'n byw mewn gwlad hud a lledrith, mewn tiriogaeth goll na welai hi mo'i thebyg byth mwy. Ni ddeuai gwefr a newydd-deb y noson ddihafal fyth yn ôl. Nid pechu a wnâi ond caru. Crwydrodd ei meddyliau o'r naill beth i'r llall yn ddigymell, bron, a thrachefn a thrachefn cyniweiriodd y cwestiwn anochel: p'run oedd y gwir Bryan, y gŵr cwrtais, hawddgar, ynteu hwnnw a ddaeth i'r wyneb y noson o'r blaen — y dyn brwnt a chwrs ei iaith na wahaniaethai rhwng blys a serch? A oedd o'n ei charu mewn gwirionedd, ynteu'n ei defnyddio fel tegan dymunol? Ni allai ond teimlo ei fod wedi'i sathru hi i'r baw ac wedi'i baeddu. Na, doedd hi ddim fel Tess Durbeyfield yn nofel Thomas Hardy, yn beth bach diniwed â dychymyg pur, difrycheulyd, yn fath o Gretchen i Faust Bryan.

Ar hyn o bryd cymaint oedd ei dicter fel na fynnai mo' i weld fyth eto, er na fyddai hynny'n bosib, wrth gwrs. Cyfarfyddent yn feunyddiol yn ystafell yr athrawon. Ni fyddai modd ei osgoi, a phe ceisiai wneud hynny ond odid y sylwai eu cydathrawon — yn agos i ddeugain ohonyn nhw — ac roedd hyd yn oed athrawon yn gallu clebran! Doedd dim amdani ond ymddwyn tuag at ei gilydd fel pe bai dim wedi digwydd. Nid edrychai ymlaen at y tymor nesaf o gwbl.

Ond tybed a oedd hi'n gwneud môr a mynydd o'r peth a'i bod hi'n rhy hydeiml ac anoddefgar? Yn ddiau, byddai merched eraill o'i chenhedlaeth hi yn gwthio'r fath ddigwyddiad i gefn eu meddwl fel amryfusedd diotwr ac yn ei fwrw o'r neilltu fel pe na bai o bwys bellach, gan gael hwyl am ei ben, efallai, am fod mor wirion. Ond ei iaith a'i poenai fwyaf; mynegodd honno afledneisrwydd anfaddeuol. Doedd hi ddim yn blydi bitsh o gelain. A 'cnuchio'. Aeth hynny dros ben llestri.

Pan gyrhaeddodd Aberwysg aeth yn ebrwydd i'w llety am baned ac yna cyrchu ei char o'r garej. Cystal iddi adael Aberwysg cyn gynted ag y medrai, a hynny cyn i Bryan gyrraedd a dechrau chwilio amdani.

§

Y diwrnod cyn dechrau tymor yr haf eisteddai Gwen ar lechwedd yn edrych ar y dyffryn llydan islaw. Roedd yma ddistawrwydd godidog a llesol i'r enaid. Roedd ambell famog wedi bwrw oenig a gofalai amdano'n ffwdanus heb adael iddo grwydro ymhell o ymgeledd ei fam. Ymysg y praidd yr oedd dau oen du — eithriadau genetig na pherthynent i'r gweddill. Defnyddid eu cnu, meddid, i wau cotiau i'r Bedouin, neu i bwy bynnag a ddefnyddiai wisgoedd du. Eithriadau oeddynt, beth bynnag, na fedrid mo'u hegluro heb durio yn ôl i'w tras.

Roedd ambell eithriad i'r praidd yn ei dosbarthiadau hithau

hefyd. Ar y naill law ceid hogyn galluog, yn ennill 'A' ym mhob pwnc, a'i deulu'n gyffredin a di-ddawn; ac ar y llaw arall ceid mab i deulu dawnus yn methu ei arholiadau, waeth pa mor ddiwyd ei ymdrechion. Ac onid meibion teuluoedd distadl, anhyddysg — meibion glowyr a chwarelwyr tlawd — oedd rhai o lenorion ac academyddion amlycaf Cymru?

Nid felly mo Bryan. Perthynai ef i deulu proffesiynol dosbarth canol. Cyfreithiwr oedd ei dad a symudodd o Fangor i Gaer cyn i Bryan fynd i'r brifysgol. Er gwaethaf ei radd dda, meddai Bryan wrthi rywdro, amheuai a oedd hynny'n gymhwyster i fod yn athro da, er ei bod hi'n credu ei fod o. Roedd ei fryd ef, meddai, ar waith ymchwil, yn arbennig ym maes biocemeg, a hoffai weithio mewn diwydiant. Ond mynd i Aberwysg i ddysgu plant a wnaeth; gwaith nad oedd yn hollol wrth ei fodd, er iddo addef mai hyfforddi gwyddonwyr y dyfodol a wnâi, a hynny yn llwyddiannus, gobeithio.

Drannoeth byddai'n rhaid ailgydio yn y drefn gyfarwydd. Doedd dim dewis ond ymdopi orau y gallai â pha beth bynnag a ddigwyddai rhyngddi a Bryan.

Fe'i cyfarchodd â gwên fel giât gan holi, yng nghlyw eu cydathrawon, sut y mwynhaodd ei gwyliau. Ni ddangosodd unrhyw arlliw o letchwithdod; gobeithio na wnaeth hithau, 'chwaith.

Bitsh, celain. Ni fedrai anwybyddu'r geiriau cas. Fe'u hynganwyd, ac yr oeddynt wedi eu serio ar ei meddwl fel sur-gerfiad ar fetel. Nid oedd modd eu dileu na chymryd arni y gellid eu dileu. Ymatebodd â gwên, ond gwên ragrithiol oedd hi, heb wres, a diflannodd fel pe bai wedi ei glanhau oddi ar ei hwyneb â chadach. Cawsai wyliau ardderchog yn Llundain, meddai; mwynhaodd bob munud awr ohonynt. Ac yntau? Rhythodd arni am ennyd ac yna addef iddo fwynhau ei egwyl, fel y gwnâi bob amser.

Ni thorasant ragor nag ychydig eiriau am ddeuddydd nes iddo ei hebrwng adref ar ôl i'r ysgol ddarfod yr ail brynhawn a'i gwahodd i gael cinio gydag ef, " 'rwsnos nesa', 'ella."

Gwrthododd yn bendant. Fase fo ddim yn mwynhau ciniawa efo celain, meddai.

31

"Wyt ti'n dal dig?" gofynnodd, fel pe na bai hynny i'w ddisgwyl.

"Pam lai? Oni ddylwn i?"

"Wel, dylet, am a wn i. Ond does dim rhaid i ti ddal i bwdu. Mi wnes i ymddiheuro, 'wsti."

"O, do, mi wnest ti ymddiheuro. Piti na ddaru ti ddal dy dafod a bihafio fel gŵr gwâr."

"Ro'n i'n feddw."

"Oeddet. Roeddet ti'n feddw, ac yn frwnt, a dy iaith yn fochaidd."

"Wna i fyth dy boeni di fel yna eto."

"Na wnei. Chei di mo'r cyfle, 'was. Ac mi wyddost ti sut i beidio meddwi."

"Sut?"

"Peidio slotian . . . Wel, diolch i ti am fy hebrwng, am hebrwng bitsh o gelain — na, blydi bitsh o gelain ddudest ti, ynte? O, diolch am y gwahoddiad hefyd."

"Wel, am gr'adures gysêt! Mi wyt ti'n hen drwyn."

Rhaid oedd dysgu gwers iddo. Wnâi o ddim drwg iddo fynd yn ôl i'w lety â'i ben yn ei blu. Os oedd o am gymodi, fe gâi aros am dipyn iddo ddod at ei goed. Ond gwyddai'n iawn na fedrai hi ymddwyn fel petai'r flwyddyn o gyfeillgarwch heb fod, ac roedd y noson yn y Gelli yn achlysur na fedrai hi ei anghofio, byth. P'run bynnag, ni allai sbario'r amser i garu; roedd y tymor hwn yn rhy bwysig i'r plant a fyddai'n sefyll eu Lefel O neu Lefel A o fewn rhai wythnosau, ac roedd hi'n ddyletswydd arni i wneud ei gorau glas drostynt yn y cyfamser. Edliwiodd Joan iddi ei bod hi'n rhy gydwybodol. Wel, un fel yna oedd hi, meddai. Tueddai rhai athrawon i fod braidd yn sinicaidd ynglŷn â'r disgyblion. Ond nid felly mohoni hi. Ac roedd yn rhaid i'r rhai yn y dosbarthiadau Cymraeg gaboli gryn lawer ar eu cystrawennau a'u treigliadau.

Y gwir plaen oedd iddi ei cheryddu ei hun am barhau i garu Bryan er ei gwaethaf. Ar brydiau llifai ton o hiraeth drosti ac wedyn ceisiai ei darbwyllo ei hun ei bod hi'n ffŵl fach sentimental, fel merch mewn nofel i ferched yn bennaf a gyhoeddwyd gan Mills and Boon. Ac ar brydiau fe'i temtiwyd i chwerthin am ei phen ei hun. Do, ceryddodd Bryan hi am fod yn gysêt ac yn hen drwyn, a hynny ar ôl ei hymroddiad llwyr iddo yn yr antur yn y gwesty yn y Gelli. Cysêt. Doedd dim ots ganddi. Yn ei farn ef, debyg iawn mai llithriad ac amryfusedd anffodus fu ei ymddygiad yn Llundain; ond iddi hi dadlenodd agwedd dra annymunol ar ei gymeriad.

"Gwranda," meddai Bryan wrthi tua chanol Mehefin, "mae'r peth 'ma wedi mynd dros ben llestri. Mae gen ti gof fel eliffant na feder anghofio tro gwael. Oes rhaid i ti fyhafio fel 'taset ti'n benderfynol o 'nghasáu i am byth? Mi wn mai arna i oedd y bai. Os wyt ti am i mi ymbil am faddeuant, mi wna i. Does dim synnwyr mewn cario 'mlaen fel hyn."

"Dwi ddim yn dy gasáu di."

Nac oedd, doedd hi ddim yn ei gasáu. Ddim rŵan, beth bynnag.

"Wyt ti'n madde i mi?"

"Ydw, os mai dyna wyt ti isio."

"Diolch. A gobeithio na wnei di ymddwyn fel plentyn pwdlyd o hyn ymlaen . . . Mae'r arholiadau drosodd rŵan, ac mi gawn ni wyliau ar ddydd y Coroni i ddathlu'r sbloet fawr yn Westminster Abbey. Does gen i fy hun ddim llawer o ddiddordeb yn y sbleddach, ond mae gan Jones German deledydd os wyt ti am ei weld o. Oes na reswm yn y byd pam na chawn ni fath o ddathliad preifat — ti a fi?"

"Nac oes, am a wn i. Ond mi awn ni i watsio'r sioe, neu ran ohoni, jest i mi gael deud 'mod i wedi'i gweld hi, os ca i sbio ar set Jones."

"Cei, wrth gwrs, ac wedyn mi awn ni am dro ac am ginio i rywle, os gneith hynny'r tro i ti."

"Nid i'r Gelli eto."

"Naci. Nid i'r Gelli. A wna i ddim meddwi, 'chwaith. Dwi'n addo i ti."

"Na wnei, siŵr."

"Mi ofynna i i Jones a gei di fynd i wylio'r peth ar ei set o. Rho gusan i mi, un go iawn."

"Yn y digs, os medri di aros tan hynny."

"Dwi ar bigau'r drain.. Ond mi reola i fy hun."

"Gobeithio."

Yr hen Bryan oedd hwn, Bryan fel yr oedd o cyn ei sarhau hi yn Llundain.

"I ble'r awn ni?"

"I Gaerdydd. Mi fwcia i fwrdd yn yr Angel. Fues i ddim yno ers tro byd."

§

Eisteddai Gwen a Joan ym mharlwr Jones German yn gwylio'r seremoni fawr gyda Jones a'i wraig; yr osgordd filwrol o farchogion ar gefn ceffylau, a'r plu yn eu helmau yn nodio, yn hebrwng y cerbyd brenhinol. Ni chafodd Gwen y cyfan yn arbennig o ddiddorol, yn enwedig y senario yn yr Abaty; roedd yn rhy hir ac yn ormod o randibŵ, meddyliodd, ond yn afaelgar mewn mannau, a'r prif beth a'i trawodd oedd y ddefod. Ers canrifoedd lawer dilynid yr un ddefodaeth yn ddi-dor — yr eneinio a'r adduned a'r coroni yntau, a'r holl seremonïaeth rwysgfawr.

Ond yr hyn a'i cyffrôdd hi fwyaf y diwrnod hwnnw oedd y newydd bod Hillary a Tenzing wedi llwyddo i ddringo Everest. Roedd hynny'n fwy o gamp nag oedd hi i Elizabeth eistedd ar orsedd ac Archesgob Caer-gaint yn gosod clamp o goron ar ei phen — coron a oedd yn rhy fawr o lawer ac yn edrych yn andros o drwm. Roedd llwyddiant y mynyddwyr yn gamp arwrol na ddigwyddodd erioed o'r blaen ac yn goron ar yr holl ymdrechion i goncro'r mynydd, a'r orchest hon a'i gwefreiddiodd fwyaf. Er mwyn ei wraig y gwyliodd Jones German y darllediad; ni faliai yntau, fwy na Bryan, am y seremoni liwgar a hynafol. Yn awr ac yn y man âi allan am fygyn gan na fedrai ei wraig ddioddef mwg baco yn y parlwr.

Cymysg oedd teimladau Gwen wrth wylio'r olygfa ar y sgrîn fach ddu-a-gwyn. Rywbryd, meddyliai, fe fyddai gan bawb deledu lliw a wnâi fwy o gyfiawnder ag achlysuron lliwgar — yr arglwyddesau yn eu gwisgoedd moethus, yr arglwyddi yn eu ffwr a'u carlwm a'u melfed a choronig yn gorffwys yn anghyfforddus ar bob pen, a hwythau'n eistedd mewn rhesi fel doliau, ar wahân i'r gynulleidfa ddetholedig; yr Iarll-Marsial, sef Dug Norfolk, yn arbenigwr ar bob dim a drefnwyd. Ond a oedd yr holl rodres traddodiadol yn berthnasol i'r byd oedd ohoni? Tybed beth a feddyliai'r frenhines ei hun am yr holl *mystique*? Rhaid ei bod hi'n ymwybodol o fod yn berson ar wahân i bawb o'i deiliaid, os nad oedd y syniad o 'ddeiliaid' yr un mor hen ffasiwn â'r ddefodaeth hithau. Tybed a achosodd y goron fawr gur yn ei phen?

Na, doedd gan Gwen ddim gwrthwynebiad arbennig i'r perfformiad, fel y cyfryw, er nad ymwnâi fawr ddim â Chymru, ond teimlai wefr wrth wrando ar *Zadok yr Offeiriad,* Handel, a threfniant Vaughan Williams o'r Hen Ganfed a'r ffanfferau a sŵn yr organ fawr yn llenwi'r Abaty. Ac erbyn meddwl, onid oedd monarchiaeth yn well system na chael rhyw Arlywydd di-nod yn ben ar y wladwriaeth?

Aeth Mair Jones i nôl brechdanau a choffi tra gwyliai Jones yntau y sgrîn fach yn ddifater.

Fodd bynnag, gobeithiai Gwen y caent weld llun o Tenzing cyn hir a'r lluman ar ben mynydd ucha'r byd. A chwarae teg i Hillary am adael i'r Sierpa bach fod y cyntaf i gyflawni'r orchest ar 29 Mai, 1953 bythgofiadwy.

Daeth Bryan i'w chyrchu cyn diwedd y seremoni ac wrth yrru drwy'r strydoedd gwelwyd llumanau a rubanau ym mhob man ac ambell Ddraig Goch yn hongian o'r ffenestri yn tystio i deyrngarwch a rhialtwch trigolion Aberwysg. Roedd Gwen hithau yn llawn hwyliau, nid oherwydd dathlu'r Coroni, ond am ei bod hi a Bryan yn prysuro ar y ffordd i Gaerdydd. Buont yn y Fenni yn gynharach. Aethant am dro bach cyn taro i mewn i gaffi am de prynhawn. Roedd y briw wedi gwella, a'r agendor wedi'i chau. Tybed a ofynnai Bryan iddi y noswaith honno i'w briodi, neu a oedd hynny'n ormod i'w ddisgwyl?

Roedd popeth yn braf y diwrnod hwnnw — y tywydd, y cinio, y band yn chwarae i'r dawnsio, y gwin, Bryan yn gafael ynddi'n dynn, a'i hwyneb hithau'n pwyso'n glòs ar ei frest wrth ddawnsio'n araf, ac yntau hefyd yn ei hwyliau gorau. Ni ddywedodd ddim am garu, nac am ei phriodi, ac ni chyfeiriodd at y dyfodol. Fe'i siomwyd braidd gan hynny. Dichon ei fod o'n gall. Ond hwyrach y gwnâi yn nes ymlaen, cyn diwedd y tymor, neu ddechrau'r tymor nesaf.

Closiodd ato yn y car ar y ffordd yn ôl i Aberwysg a'i boch yn cyffwrdd â'i ysgwydd. Roedd hi wrth ei bodd a dim byd yn peri pryder iddi. Cyn hir byddai'r tymor yn dirwyn i ben, a'r plant — neu rai ohonyn nhw — yn disgwyl canlyniadau'r arholiadau maes o law.

Safent o flaen drws ei llety, yn dal dwylo.

"Diolch i ti am noswaith hyfryd," meddai hi.

"Ac i tithe am ddŵad."

Rhoes gusan iddi; cusan lariaidd, foneddigaidd, tra mynnai hi un flysig a barus y tro hwn.

"Gwelwn ein gilydd eto," ebe Bryan.

"Gwnawn, 'tad. Dydi'r tymor ddim ar ben eto. Ond wn i ddim pryd. Mi fydda i'n brysur yn darparu *reports* ar y disgyblion annwyl. Ti'n gwbod y math o beth — *"could do better if he tried, shows progress, tries hard, promising"* - ystrydebau sy'n cuddio'r gwirionedd, weithiau, er mwyn peidio â siomi'r rhieni."

"Mi wn i; *able,* heb ddweud i be mae o'n *able.*"

"Ond rhaid bod yn onest, hefyd, 'wsti. Wel, cysga'n dawel."

"A thithe hefyd."

Daliodd i sefyll ar garreg y drws nes i olau ôl y car fynd o'r golwg.

Roedd hi'n rhy hwyr i gael bath, a ph'run bynnag byddai sŵn y dŵr yn rhedeg yn siŵr o aflonyddu ar ei lletywraig. Gallai'r bath aros tan y bore; yna byddai'n teimlo'n ffres ac yn effro cyn brecwast ac wedi dadebru'n llwyr. Tynnodd ei ffrog a sbio arni'i hyn yn y drych. Roedd hi'n eithaf bodlon arni'i hun; nid oedd raid iddi ymbincio a dibynnu ar foddion artiffisial i'w harddu, a doedd ei chorff ddim mymryn llai gosgeiddig na chyrff y merched hynny a oedd yn eu harddangos eu hunain yng nghhystadleuaeth Miss Wales neu Miss World, braidd fel gwartheg yn cael eu barnu gan dîm o arbenigwyr mewn sioe. Rhoddodd ei chorff bleser o'r mwyaf i Bryan y llynedd; roedd yn gyfarwydd â phob modfedd ohono.

Wel, gwely amdani, neu fe fyddai'n rhy gysglyd i godi'n brydlon yn y bore.

Fe fu'n ddiwrnod cofiadwy. Ond ni ofynnodd Bryan iddi

fwrw rhan o'i gwyliau efo fo eto, fel y gobeithiai hi. Roedd hyn yn siom. Byddai wedi croesawu'r awgrym ar unwaith. Hwyrach fod ganddo gynlluniau eraill. Fe dreuliai hi fis gartref ac yna fynd i rywle ar ei phen ei hun, neu efallai efo Joan.

Gan ei bod yn athrawes Saesneg roedd Joan yn awyddus i mynd i Ardal y Llynnoedd ac i Grasmere i ymweld â thŷ Wordsworth. Nid oedd yn rhy ddiweddar i drefnu hynny, ac yno yr aethant.

§

Wythnos cyn dechrau'r tymor, a hithau newydd ddychwelyd adref ar ôl dros wythnos o grwydro yn Ardal y Llynnoedd gyda Joan, derbyniodd lythyr oddi wrth Bryan, a marc post Lugano arno. Fe'i hagorodd yn gyffrous, a chafodd gryn ysgytwad wrth ddarllen y brawddegau agoriadol:

Annwyl Gwen [darllenodd]:
Dyma fi'n torheulo ar lan y Lago Maggiore ac yn mwynhau gwres a phrydferthwch y lle yma. Rydw i wedi rhoi'r gorau i ddysgu cemeg i blant ac wedi cael swydd sydd fwy at fy nant gydag un o'r cwmnïau mawr yn yr adran ymchwil. Doeddwn i ddim yn hollol gartrefol yn yr ysgol, fel y gwyddost, ac mi rydw i am ddod ymlaen yn y byd. Fyddai hynny ddim yn bosibl fel athro. Rydw i'n rhy uchelgeisiol i 'nghyfyngu fy hun i lab a phedwar mur ysgol ramadeg. Ac mae'r cyflog yn llawer mwy.
Mae'n ddrwg calon gen i orfod dweud hyn wrthyt, ond gwell i mi'i ddweud o heb flewyn ar fy nhafod a hwyrach yn frwnt. Fedren ni ddim dal ymlaen fel yr oeddem, ac er dy fwyn di roedd hi'n well i mi hel fy nhraed. Rydw i'n hoff iawn ohonot, ond dydw i ddim yn dy garu di ddigon i dy briodi, os dyna a ddisgwyliaist. Mi wn dy fod ti yn fy ngharu i, neu dyna oeddwn i'n tybio. Ac mi rydw i am fod yn rhydd i dorri cwys newydd i mi fy hun heb rwymiadau. Hwyrach, mai'r dyn a'th sarhaodd yn Llundain ydw i yn y bôn. Wn i ddim. Ond fyddwn i ddim yn ŵr da i ti. Rydw i'n rhy hunanol. Rhaid i ti faddau i mi am guddio hyn

rhagddot, ond mi ges i'r swydd yma fisoedd yn ôl pan es i
am gyfweliad yn Llundain adeg y Pasg. Ddywedais i ddim
byd wrthyt rhag ofn i mi dy ypsetio di. Os ydw i'n edrych
fel rhagrithiwr digywilydd, does mo'r help. Mae'n rhaid i
ddyn gysidro ei fuddiannau ei hun yn bennaf.

Dydw i ddim yn gofyn i ti beidio â'm beirniadu'n llym.
Byddai hynny'n ormod i'w ddisgwyl, ac mi wn y bydd y
llythyr yma'n peri poen mawr i ti. Yr unig beth sy'n fy
mhoeni i ydi 'mod i wedi rhoi argraff gamarweiniol i ti.
Roeddwn yn gwerthfawrogi ein cyfeillgarwch yn fawr —
dyna sut y goddefais y ddwy flynedd ddiwethaf yn
Aberwysg, er i mi gael fy ystyried yn athro da, yn ôl y sôn.
Ond doeddwn i ddim wrth fy modd, serch hynny.

Does 'na ddim rhagor y medra i ddweud wrthyt; dim
ond gobeithio y gwnei di anghofio'r cyfan amdana i.

Darllenodd Gwen y llythyr drachefn, fel pe na ddeallodd ei
gynnwys y tro cyntaf, a chan deimlo fel petai darn mawr o blwm
yn ei bol. Anghofio amdano ar ôl gorawen orffwyll y noson yn y
Gelli? Er mor ysgubol fu'r profiad, teimlodd yn awr fod Bryan
wedi'i difwyno hi. Ie, 'cnuchio' ydoedd, boddhau ei nwyd, tra
mai mynegiant o serch ydoedd iddi hi.

Roedd ei henaid fel petai wedi fferu. Ni chronnodd dim
dagrau hyd yn oed; nid oedd yn ymwybodol o ddim ond o
wacter rhewllyd a chwithdod difaol. Rhwygodd y llythyr yn
ddarnau mân a mynd â hwy i'r toiled a thynnu'r tsiaen. Fe'u
gwyliodd yn diflannu yn rhuthr y dŵr. Dyna oedd eu haeddiant.

Aeth allan drwy'r buarth ac ar draws y caeau a chyrraedd pen
y bryn ac eistedd yno yn llonydd, llonydd ar ei chwrcwd â'i
dwylo ymhleth am ei phengliniau.

Alan, ac yn awr Bryan. Ond serch diflannol myfyrwraig ifanc
oedd ei charwriaeth efo Alan, os carwriaeth hefyd. Roedd hyn
yn dra gwahanol; fe'i hanafwyd hyd at eigion ei bod. Parhâi i
eistedd yn ddideimlad, bron, ac yna torrodd y fflodiart.

2

Wrth edrych yn ôl drwy dudalennau ei chof, ystyriodd Gwen y cyfnod a ddechreuodd â llythyr creulon a dadrithiol Bryan. Ar unwaith newidiwyd popeth yn ddi-droi'n-ôl, gan arwed yr ysgytwad ac enbydrwydd ei siom. Teimlai fel petai wedi colli am byth yr hyn a drysorai yn anad dim arall. Roedd Bryan wedi bradychu ei hymddiriedaeth ag ergyd filain a gleisiodd ei meddwl. Hwyrach mai hi oedd ar fai yn ei gymryd yn ganiataol ac yn adeiladu ar sylfaen sigledig obeithion na fedrid mo'u cyflawni. Nid ei diraddio hi yn ei golwg hi ei hun yn unig a wnaethai; ar ben hynny dygasai ei morwyndod oddi arni, er nad oedd hi wedi gwarafun hynny iddo ar y pryd — yn wir, croesawodd y profiad cyffrous. Er na soniodd Bryan erioed yn bendant am briodi, credai bryd hynny y gwnâi maes o law. Dichon ei bod wedi disgwyl gormod — heb sylweddoli nad arweiniai cyfeillgarwch, na hyd yn oed angerdd rhywiol, at ymrwymiad, o reidrwydd. Ond wedi bron ddwy flynedd o berthynas mor agos, roedd ganddi'r hawl i ddisgwyl canlyniad gwahanol i hyn. Nid i ddadrith yn unig yr oedd hi'n ysglyfaeth, eithr i ragrith, ac roedd hynny'n fwy poenus fyth.

Pan ddychwelodd i Aberwysg ddechrau mis Medi, doedd dim amdani ond wynebu'r ffaith na welai hi Bryan yn yr ystafell gyffredin byth mwy ac, er na fedrai dybied i ba raddau y gwyddai ei chymrodyr am ei chysylltiad ag ef, ofnai y byddent yn cael hwyl am ei phen pe gwyddent. Ond diolch i'r drefn nid felly y bu. Yn ôl pob tebyg nid oedd ganddynt unrhyw syniad paham yr ymadawodd Bryan, dim ond ei bod hi'n amlwg iddo gael swydd mewn man arall. Dirgelwch oedd ei ymadawiad dirybudd ac annisgwyl, ac ofer fyddai ceisio dyfalu'r rheswm. Roedd Joan yn rhy gall i holi a stilio yn ei gylch. Dim ond un aelod o'r staff a amheuai fod rhywbeth yn ei phoeni, a Jones German oedd hwnnw.

Fe ddaeth yn glir i Gwen cyn pen fawr o dro nad oedd hi'n dda rhyngddo ef a'i wraig, a chredai mai Jones ei hun oedd yn gyfrifol i raddau. Synhwyrodd ar ddydd y Coroni fod tyndra rhyngddynt. Yn un peth, roedd o'n swta â hi ac fe'i gwnaeth yn amlwg fod gwylio'r seremoni'n ei ddiflasu, mai er ei mwyn hi a Joan yn unig yr oedd yn dygymod â'r 'sioe', ac ni cheisiodd yr un ohonynt guddio'r anghydfod a fudlosgai dan yr wyneb.

Ymbriododd y ddeuddyn yn ystod y rhyfel, pan oedd Jones yn y Military Intelligence a chanddo radd Capten, a hynny am iddo arbenigo mewn Almaeneg a Rwsieg yn Rhydychen. Roedd Mair yn yr WAAC, yn ddwy ar hugain oed, tra oedd Jones yn ddeugain. Jones German y'i gelwid er mwyn gwahaniaethu rhyngddo a Jones Geography, ac oherwydd ei hiwmor a'i *bonhomie* bocsachus ac allblyg roedd yn boblogaidd gyda'r staff a'r disgyblion fel ei gilydd. Ef oedd y dirprwy brifathro. Ysmygai'n ddi-baid a gollwng llwch ei sigarennau i lawr dros flaen ei wasgod a'i dei, arferiad na fedrai ei wraig mo'i ddioddef. Un ysmala oedd Jones wrth natur a chanddo ddawn i gyfansoddi limrigau — a'r rheini weithiau'n rhai anweddus.

Erbyn 1953 roedd Jones yn tueddu i golli'i wallt ac i dewhau. Gwenai'n gyfeillgar ar bawb ac oherwydd ei boblogrwydd fe'i gwnaethpwyd yn aelod o Glwb Rotari Aberwysg, er mai'r prifathro a ddylasai gynrychioli'i broffesiwn yn y clwb hwnnw. Nid oedd bod yn Rotarydd at ddant y prifathro; gwell oedd ganddo berthyn i Gyfrinfa Seiri Rhyddion Aberwysg. Er bod pawb ar y staff yn hoffi Jones, roedd yn rhaid ei atal ar brydiau pan adroddai ei limrigau mwyaf amheus yng ngŵydd Joan a Gwen.

Dyna, yn fyr, Jones German. Câi Gwen ef yn ddifyr, ac nid anghymeradwyai ei limrigau amheus ond pan oeddynt yn rhy 'goch'. Rhaid oedd goddef gwendidau gŵr mor hoffus â Jones German.

Ychydig wythnosau ar ôl dechrau'r tymor gwahoddodd Gwen i fynd allan i ginio gydag ef ryw gyda'r nos. Derbyniodd hithau ei wahoddiad ar unwaith; ni faliai beth a ddywedai Mair. Doedd o ddim o'i busnes hi. Penderfynodd fanteisio ar bob cyfle i'w mwynhau ei hun o hyn allan er mwyn llenwi'r gwacter a adawsai Bryan ar ei ôl. Ni soniodd yntau am Mair; doedd Gwen ddim yn hoff ohoni, p'run bynnag, a phed achwynai Mair wrth ei gŵr am ei gadael hi ar ei phen ei hun, ta waeth am hynny — rhyngddyn nhw a'u potes. Roedd Gwen wedi peidio ag ystyried teimladau pobl eraill, a phenderfynodd gael 'amser da', chwedl yr ymadrodd arferol, ac nid oedd wahaniaeth ganddi sut. Roedd hi'n barod i gicio dros y tresi, dim ond i hynny beidio ag amharu ar ei gwaith.

Nid edrychai ymlaen â gwefr arbennig at noswaith gyda Jones German, ond er hynny roedd hi'n barod i fanteisio ar unrhyw ddyn a'i diddorai ac a'i difyrrai. Ymron dros nos fe drodd yn sinig. Yr ymdeimlad o wacter a'i difai fel cancr oedd waethaf. Nid ei bod hi wedi colli diddordeb yn y pethau a'i bodlonai gynt. Parhâi i fynychu cyfarfodydd y Gymdeithas Gymraeg yn rheolaidd. Pan oedd y tywydd yn braf âi i Gaer-went a Chaerllion i weld y gweddillion Rhufeinig a'i denai fel magned. Hwyrach fod byd hynafol y Rhufeiniaid yn apelio at yr elfen ramantaidd oedd ynddi. Ryw brynhawn Sadwrn aeth i Gaerdydd a chrwydro drwy'r Amgueddfa Genedlaethol, ac er ei gwaethaf cnoai'r gwacter hi gymaint fel ag i'w gyrru i oedfa yn un o gapeli Cymraeg y dref. Ond ni chawsai ddim cysur yno. Nid oedd arni eisiau pregeth gan ddieithryn na wyddai ddim oll am ei chyflwr, ac roedd yr emynau a ganai glodydd y nefoedd fry a'r Gwaed a'r Groes ac a ddibrisiai'r byd a'i 'deganau gwael' yn gwbl amherthnasol, a'r tonau galarus yn y cywair lleddf yn ei digalonni.

Weithiau fe'i ceryddai ei hun am fod yn ffŵl teimladol ac am boeni am i Bryan ei thaflu hi ar y clwt fel darn o hen ddeunydd na fedrid mo'i ddefnyddio. Gwell o lawer fyddai cau'r bennod honno unwaith ac am byth. Ond haws dweud na gwneud.

Pan ofynnodd Joan pam yr oedd hi mor dawedog a

41

mewnblyg, bwriodd ei bol iddi. Bwrw ei bol — ond roedd yn debycach i chwydu gan mor boenus ydoedd. Llifai hanes ei pherthynas â Bryan o'r cychwyn cyntaf fel ffrwd ohoni, a theimlai yn well wedi hynny, fel pe bai hi mewn gwirionedd wedi taflu i fyny lond bol o gyfog. Gwrandawodd Joan heb dorri gair. Roedd yn well i Gwen gael gwared o'r peth, yn hytrach na'i fygu nes ei fod yn corddi'i thu mewn fel saldra atgas.

"Mi wn 'mod i'n blydi ffŵl am foddro," meddai Gwen, "ond, wel ro'n i'n 'i garu o. Neu dyna 'ddyliwn i. Teimlwn fel tase rhywun wedi rhwygo f'ymysgaroedd allan ohona i a'u taflu ar domen o hen gig pwdr, cyn lleied oedd fy ngwerth i."

"Paid â throi yn sinig."

"Mi rydw i. Mae peth fel'na yn ddadrith ofnadwy, ac yn tanseilio ffydd rhywun mewn pobol."

"Ella dy fod ti'n gwneud môr a mynydd o'r peth."

"Ella 'mod i, ond un fel yna ydw i."

"Rwyt ti'n ddigon ifanc i ddod drosto fo."

"Dwyt tithe fawr hŷn na fi, dim ond tair blynedd. Paid â siarad fel taet ti'n hen law."

"Mi ges i brofiad chwerw hefyd . . . Beth am inni rannu fflat efo'n gilydd? 'Ddyliest ti am y peth?"

"Naddo. Gwell gen i fod ar fy mhen fy hun a dal ymlaen fel rydw i. Mi faset ti isio cadw golwg arna i a'm rhwystro i rhag mynd oddi ar y cledrau."

"Paid â gwneud hynny. Thâl hi ddim. Ac mi wyt ti'n smocio gormod, a thithe'n casáu smocio tan rŵan."

"O, paid â deud y drefn wrtha i, da thi. A does 'na ddim peryg i mi chwilio am gysur yn y botel a throi yn alcoholig neu'n *good time girl* . . . Wel, hwyrach y gwna i."

"Mi wn i sut wyt ti'n teimlo."

"Wyddost ti ddim. Does neb yn gwbod sut mae rhywun arall yn teimlo. Peth hollol bersonol ydi o . . . Gyda llaw, mae Jones German wedi gofyn i mi fynd allan i ginio efo fo."

"Hwnnw? Ei di?"

"Pam lai? Mae o'n ddoniol."

"Ac yn briod a bron yn ddigon hen i fod yn dad iti. Dros ei hanner cant, beth bynnag."

"O, ydi, ond ta waeth am hynny. Os ydi o'n mwynhau fy nghwmni i yn well na chwmni'i wraig, mae'n iawn gen i. Wna i mo'i hudo fo. Mi wnâi hynny sgandal, ac ni fydde hynny fawr o les i'r un ohonon ni."

"Cymer ofal."

"O, mi wna i, cariad. Paid â phoeni . . . Wel, mae hi'n hwyr. Rhaid i mi'i heglu hi. Dwi'n teimlo'n well ar ôl y sgwrs 'ma, fel taswn i wedi cael gwared o'r holl blydi bustl. Diolch i ti am wrando."

"Croeso. Os medra i dy helpu di, cofia ddweud. Dwi'n hoff iawn ohonot ti."

Fe'i cofleidiodd a'i chusanu'n hir ac yn wresog ar ei gwefusau wrth iddi ymadael. Oedd, roedd yn amlwg ei bod hi'n hoff ohoni, ond nid yn rhy hoff, gobeithio. Amheuai Gwen ar brydiau ei bod hi. Awgrymodd y gusan honno a'r cofleidio tynn fwy na hoffter cyffredin. Rhaid iddi hi, Gwen, fod yn ochelgar. Ni fynnai gael ei thynnu i mewn i berthynas annaturiol efo Joan, er cymaint y'i hoffai. Tybed a oedd yn bosibl i serch at ddyn fynd i'r pegwn arall a'i gyrru i berthynas annaturiol â merch? Roedd Joan yn ddeniadol dros ben, a bu ond y dim iddi hithau ymateb yr un mor wresog i'w chofleidiad a'i chusan.

Na, gwell iddynt barhau i fyw ar wahân. Os oedd gan Joan duedd lesbiaidd, byddai byw efo hi yn ormod o demtasiwn iddi. Gallai'r ddwy fod yn gyfeillion heb ymserchu yn ei gilydd. Ond y gusan hir, laith, a'u gwefusau'n asio, a'i chôl yn ymwthio i'w herbyn — na, ni wnâi hynny mo'r tro.

O hynny ymlaen gwisgodd Gwen ryw sirioldeb allblyg ffug fel mwgwd ffuantus i gelu'i siom a'i dadrith nes yr adenillai'r sirioldeb a'i nodweddai gynt. Rhaid iddi ddysgu bod yn rhagrithwraig — os oedd angen dysgu. Ni byddai hynny'n anodd, rŵan.

§

Aeth Jones German i gryn drafferth i'w difyrru. Eisteddent mewn congl yn lolfa un o westai gorau Caerdydd. Ni sylwodd Gwen ar enw'r gwesty, dim ond ei fod yn Stryd y Santes Fair. Roedd yn gyfforddus a'r bwyd yn rhagorol — coctêl yn y bar ac yna *hors-d'oeuvre* amrywiol, cawl *minestrone*, golwyth T-bôn sylweddol a thyner, llysiau a dau fath o datws, gwin coch, dewis rhwng ffrwythau a melysfwyd a phastai afal a hufen, brandi a choffi yn y lolfa, a'r cwbl wedi'i baratoi yn berffaith.

Smociodd Jones German sigâr nad oedd yn annymunol ei harogl a siaradai yn ddifyr gan wneud ei orau glas i'w phlesio. Ni fedrai hi ddyfalu paham y'i gwahoddodd a gwario cymaint arni yn y gwesty drud hwn. Pe gallai elwa ar ei haelioni a'i hwyliau da, purion. Pan ddododd ei law ar ei phen-glin ni symudodd hi am ennyd, ond doedd wiw iddi ei galonogi i fod yn rhy hy y tro cyntaf iddi fod gydag ef.

"Ydi'ch gwraig yn gwbod ein bod ni yma?" gofynnodd.

"Mair? Na, mae hi bant yn Abertawe ers wythnos. Ei mam yn dost. Ddaw hi ddim yn ôl am wythnos arall. Lwcus, ontefe?"

"Lwcus iawn o'ch safbwynt chi."

"Wel, ie; yn rhoi siawns dda i mi wahodd menyw bert fel chi i gael cinio 'da fi, ŷch chi'n deall."

"Ydw. Dwi'n dallt yn iawn."

Fe gâi hi Jones German yn ddoniol ac yn ffraeth. Er iddo wneud ymgais arbennig i chwarae rhan y dyn canol oed yn cael *night-out* efo merch bron hanner ei oed, nid oedd yn nawddoglyd eithr yn gwrtais ac yn ystyriol ac yn byrlymu gan radlondeb, ond er iddo ei galw hi'n Gwen, ni allai hi feddwl amdano ond fel Jones German, fel y gwnâi pawb o'r staff. Ni fedrai yn ei byw ei alw wrth ei enw bedydd, sef Edgar; ni swniai'n iawn, rywsut, a ph'run bynnag ni hoffai'r enw. A doedden nhw ddim yn gyfeillion agos — ddim eto, beth bynnag; dyma'r tro cyntaf iddynt gyfarfod y tu allan i'r ysgol. Hyd yn hyn Mistar Jones oedd o iddi hi yn gyhoeddus, nid Edgar; dynodai hynny agosrwydd nas teimlai hyd yn hyn, ac yntau'n ddirprwy brifathro. Eto i gyd, swniai Mistar Jones yn rhy ffurfiol.

"Brandi arall?"

"Na, dim diolch, neu mi fydda i'n gysglyd neu'n tipsi."

Arllwysodd gwpanaid arall o goffi iddi.

"Os ŷn ni am fod yn ffrindie," meddai, "Edgar yw f'enw i. Ŷn ni'n ffrindie?"

"Yden, siŵr, ond fel aelodau o'r staff."

"Ond mâs o'r ysgol cewch fy ngalw i'n Edgar."

Cododd hi ei hysgwyddau.

"Os dyna fynnwch chi."

"Ie, dyna beth wy'n moyn."

Drachtiodd y fowlen brandi ac archebu un arall.

"Peidiwch ag yfed gormod," ebe hi. "Chi fydd raid gyrru'n ôl i Aberwysg."

" 'Wy'n gwybod 'ny. 'Wy'n gallu dal fy niod."

"Gobeithio."

"Wel, ie, gobeithio. Ŷch chi'n siŵr na chymerwch chi ddrinc fach arall?"

Cystal iddi gadw'i chap yn gymwys ato.

"Un fach iawn."

Erbyn hyn roedd yr ymddiddan yn dechrau pallu, fel pe bai pob testun trafod wedi ei ddihysbyddu. Yna gofynnodd Jones German yn sydyn:

"Be ddigwyddodd i Bryan? Fe wnaeth e'n gadel ni'n sydyn iawn."

"Do."

Ni ddymunai drafod Bryan, yn enwedig gyda Jones German; roedd y pwnc yn rhy boenus o lawer.

"Oeddech chi'n ffrindie mowr?"

Paham yr oedd Jones yn gofyn hynny? Byddent ill dau yn ymddwyn yn ddigon call, am a wyddai hi.

"Wel, yn ffrindie."

"Ond yn fwy na 'ny?"

"Pam rydech chi'n holi?"

"O, dydi e ddim o bwys. Jest yn meddwl."

Ni hoffai Gwen y tro hwn ar yr ymddiddan. Gwell oedd ganddi fwrw Bryan dros gof, pe bai hynny'n bosib, a doedd ganddi ddim awydd sôn amdano wrth Jones German p'run bynnag, ond roedd hwnnw'n holi a stilio fel mynawyd yn treiddio i mewn i asgwrn. Hwyrach na sylweddolai hynny. Sut y gallai? Ac wedi'r cyfan, onid oedd hi'n hen bryd iddi roi clep ar ddrws ei hatgofion, a wynebu bywyd o'r newydd gan fwynhau pa gyfeillgarwch bynnag a gynigid iddi? Ac os oedd Jones German yn cynnig dihangfa o'r gorffennol, pam nad achubai hi ar y cyfle yn hytrach na'i geryddu am fod yn chwilfrydig?

"Fe newidiwn ni'r pwnc," meddai ef o'r diwedd. "Dim ond gofyn o'n i. Does neb o'r staff yn gwbod be ddigwyddodd iddo fe."

"A does gen inne ddim syniad, 'chwaith."

Ac roedd hynny'n wir; doedd ganddi ddim syniad ble'r oedd o na beth ddigwyddodd iddo, ac, a bod yn gwbl onest â'i hunan, ni ddymunai wybod.

Edrychodd Jones ar ei oriawr. Tynnai am ddeg o'r gloch, meddai, ac roedd yn bryd iddyn nhw fynd sha thre. Drachtiodd Gwen ei brandi a chodi, gan deimlo braidd yn benysgafn er gwaetha'r coffi cryf. Yn ystod y daith yn ôl i Aberwysg teimlai'n fwy fel hepian na dal pen rheswm. Stopiodd Jones y car o flaen ei gartref.

"Ddewch chi miwn am funud fach?" gofynnodd.

"Wrth gwrs. Pam lai?"

Pam lai, yn wir? Gwnâi sgwrsio am funud bach ei dadebru cyn iddi ddychwelyd i'w llety.

"Beth am ddrinc fach arall?" gofynnodd Jones wrth gynnau'r tân trydan.

"Un fach iawn."

Tywalltodd hanner gwydraid o Campari a'i estyn iddi.

"Chi'n lico miwsig?"

Oedd, roedd hi'n lico miwsig.

Agorodd Jones y cabinet recordiau a thynnu allan record o gonsierto D leiaf Bach i ddwy ffidil. Roedd ganddo chwaeth dda, meddyliodd Gwen, a gwrandawodd ar yr ail symudiad hudol fel bai mewn llesmair.

"Rhaid i mi fynd rŵan," meddai pan ddaeth y gonsierto i ben.

"Af i â chi adre," meddai Jones. "Gwelwn ein gilydd eto, gobeithio."

Disgwyliodd iddo ei chusanu, ond ni wnaeth. Roedd hi'n falch o hynny, a diolchodd iddo am noswaith hyfryd.

Gorweddai Gwen ar ddi-hun a'i chalon yn curo'n gyflym — effaith yr alcohol, fe dybiai, a'r siarad a'r cyffro. Beth, tybed, oedd cymhellion Jones? Cael antur fach ar y slei y tu allan i'w fywyd priodasol? Dymuno gwrthbwys i'w wraig oeraidd, anghymdeithasol, os dyna oedd hi? Nid ymwthiodd ei hun arni;

doedd o ddim wedi ymddwyn yn hy a manteisio ar y ffaith eu bod nhw yn ei dŷ a'i wraig oddi cartref. Gallasai fod wedi gwneud hynny, pe mynnai. Ond y tro nesa', pe byddai 'na un? Anodd credu mai dim ond unwaith y bwriadai ei gwahodd i fwrw noswaith ddifyr yn ei gwmni. A oedd hyn yn ddechrau cysylltiad y tu allan i'w briodas? Ni chlywodd sôn ei fod yn ferchetwr, ond gallai fod, am a wyddai hi.

Tybed a oedd o wedi sylwi bod Bryan a hi yn gariadon a'i fod yn dymuno bod yn gysur iddi? Roedd yn rhaid bod yn wyliadwrus; ni ddymunai gael ei rhwydo mewn sgandal a fyddai'n debyg o ddifetha ei gyrfa er mwyn treulio noson ddifyr neu ddwy yng Nghaerdydd neu yn ei dŷ ef pan oedd ei wraig i ffwrdd.

Roedd hi'n sicr o un peth yn anad dim; roedd yn rhaid iddi gladdu Bryan, megis, waeth pa mor anodd a phoenus fyddai hynny, a rhoi pen ar y bennod honno yn ei hanes, tynnu'r llen ar act olaf y ddrama, cau'r llyfr a'i roi o'r neilltu am byth. Tybiai mai'r peth gorau i'w wneud fyddai ei haddasu ei hun i'r sefyllfa newydd a pheidio â bod yn groendenau. Ymddiriedodd yn Bryan, ac fe'i siomwyd. A phe byddai hi'n llosgi ei bysedd wrth chwarae â thân, byddai hynny'n well na fferru.

Wel, nos da, Jones German. 'Fedra i yn fy myw dy alw di'n Edgar.

§

Roedd nythaid o genedlaetholwyr yn mynychu'r Gymdeithas Gymraeg. Er nad oeddynt yn y mwyafrif, hwy oedd ei hasgwrn cefn a'i haelodau ffyddlonaf. Fe'u galwent eu hunain yn 'Meibion Mynwy' a chyfarfyddent bob mis mewn tafarn i farddoni gyda'i gilydd ac ymarfer englyna a chyfansoddi epigramau a chwpledi doniol neu ddychanol. Nid adwaenai Gwen hwy yn dda; arferai fynd i'r cyfarfodydd gan amlaf gyda Bryan, a cheisiai hwnnw ei monopoleiddio hi a'i chymryd dan ei adain, yn nawddogol bron, ac ni chafodd gyfle i dorri gair â hwy. Yn ôl pob tebyg, fe'i hystyrient braidd yn anghymdeithasgar, a hwyrach yn dipyn o hen drwyn.

Ar ddiwedd cyfarfod cyntaf y tymor newydd, pan aeth Gwen

i wrando ar ddarlith gan ddarlithydd mewn archaeoleg yng Ngholeg Prifysgol Cymru Caerdydd ar 'Y Rhufeiniaid yng Ngwent', daeth un o'r grŵp ati a'i chyfarch yn siriol.

"Gethin Parry ydw i," meddai. "Sylwais eich bod chi ar eich pen eich hun."

"Ydw," atebodd. "Wyddoch chi pam?"

"Na wn i."

"Rhowch gynnig arni."

Ysgydwodd ei ben.

"Am nad oes gen i'r un osgordd. Mae o wedi gadael y dre."

Chwarddodd y ddau, fel pe bai hyn yn jôc glyfar.

"Mi wn mai athrawes yn yr Ysgol Ramadeg ydech chi, ac mai Gwen Thomas yw eich enw."

"Rydech chi yn llygad eich lle. A sut ydych chi'n ennill eich bara beunyddiol, os ca i fod mor hy â gofyn?"

"Dwi'n gweithio yn adran gyllid y Cownsil."

"O, felly? Un o'r Gogledd ydych chi, yntê?"

"Ie, mae hynny'n amlwg. O Wrecsam. Ond dim ots am hynny. Dydi o ddim yn fy nghondemnio'n llwyr . . . Garech chi ddŵad efo ni am lymaid? Mi fyddwn ni'n mynd i'r Plough am beint a sgwrs ar ôl y cwarfod."

"Iawn, mi ddo i," atebodd hithau'n ddibetrus, "ond wn i ddim am y peint."

Trodd Gethin at y grŵp a oedd erbyn hyn yn eu llygadu fel y mae bustych yn rhythu ar ddieithryn dros y clawdd.

"Gwen Thomas ydi hon," meddai. "Mae hi'n dŵad efo ni am beint. Roedd hi'n edrych yn unig heb ei gosgordd."

Gwenodd Meibion Mynwy arni fel un dyn a gwenodd Gwen yn ôl arnynt. Er ei bod hi'n aelod o'r Gymdeithas er pan ddaeth i Aberwysg, hwn oedd y tro cyntaf iddi gyfarfod â hwy. Ar Bryan yr oedd y bai am hynny.

Cydiodd Gethin ynddi gerfydd ei braich a'i thywys ar draws y stryd fel petai'n gyfrifol am ei diogelwch. Eisteddasant mewn congl yn y dafarn ar ôl prynu peint bob un. Cymerai hi shandi, meddai, ac aeth Gethin i'w nôl. Bu llawer llefaru ar draws ei gilydd, a chwerthin a chellwair. Gwnaeth Gwen ei gorau i gyfranogi o'r rhialtwch ac fe'i tynnwyd i mewn i'r ymddiddan cyffredinol. Roeddynt yn hŷn na hi; yn wir, roedd un neu ddau wedi bod yn y rhyfel. Meddyg oedd un ohonynt, un arall yn gweithio yn adran addysg y sir, un yn athro yng Nghas-gwent, a phawb ohonynt yn astudio Cerdd Dafod yn ogystal â bod yn genedlaetholwyr pybyr. Eu harweinydd, neu hyfforddwr, neu ba beth bynnag oedd ei swydd yn y cylch, oedd gŵr dros saith deg oed. Newyddiadurwr ydoedd, ac ymron mor foel a phêl biliard, yn fardd enwog, a chanddo'r mesurau caeth ar flaenau'i fysedd. Ef oedd Prif Fardd y Meibion, megis. Ond nid eisteddiad barddol mo'r cyfarfod y tro hwn eithr atodiad cymdeithasol a difyrrus i gwrdd y Gymdeithas. Er bod Gwen yn gwybod rhywfaint am eu gweithgareddau fel prydyddion drwy ddisgrifiad Bryan ohonynt, roedd hi wrth ei bodd wrth gael ei chyflwyno iddynt, yn arbennig yn awyrgylch cydnaws a chlyd yr hen dafarn.

Gwnaethpwyd ambell jôc ar ei chorn hi, ac ymunodd hithau yn y chwerthin a'r tynnu coes. Erbyn deg o'r gloch teimlai ei bod hi'n un ohonynt, ac os nad yn un o Ferched Mynwy, ŷna'n fath o aelod anrhydeddus o'r grŵp. Pan oedd hi'n bryd ymadael, cynigiodd Gethin ei hebrwng i'w lletty yn ei gar, a derbyniodd ei gynnig yn ddiolchgar. Roedd yn dda ganddo, meddai, ei bod hi wedi cael tipyn o firi efo nhw, a hithau'n edrych mor unig.

"Felly, tosturio wrtha i wnaethoch chi?"

"Nage, nid yn hollol. Ond rywsut ches i mo'r siawns i gael gair efo chi o'r blaen. Roedd y *chap* arall 'na yno bob amser, fel 'tae o'n eich meddiannu chi."

"A chithe wedi aros cyhyd cyn mentro cyflwyno'ch hun i mi. A rŵan?"

"Wel, gobeithio y gwelwn ein gilydd yn amlach."

"Mi fydda i'n dŵad i'r cwarfod bron bob tro. Mi gewch gip arna i bob yn ail wsnos."

"Nid dyna oeddwn i'n feddwl."

"Be oeddech chi'n feddwl, 'te?"

"Cael dod i nabod ein gilydd yn well."

"Pam lai? Syniad rhagorol. Rydech chi'n edrych yn greadur digon dymunol, a does gen i ddim byd yn eich erbyn, er eich bod chi'n gweithio yn adran gyllid y Cyngor Sir. Chi fydd yn danfon biliau'r dreth allan?"

"Nage, 'tad. Cyfrifydd siartredig ydw i. *Chartered accountant.*"

"Mi wn i'n iawn be 'di cyfrifydd siartredig. Mi wnes i Gymraeg yn y coleg. Ond chi ydi'r cynta un o'r rhywogaeth i mi'i gwarfod. Mae o'n brofiad newydd sbon."

"Rydech chi'n tynnu 'nghoes i."

"Ydw, ond peidiwch â'i gymryd o chwith . . . Yma rydw i'n byw."

Stopiodd y car ac agor y drws.

"Diolch yn fawr am y lifft a phopeth arall."

"Mi fydda i'n edrych ymlaen at y cwarfod nesa . . . os na welwn ni'n gilydd cyn hynny?"

"Gall ddigwydd. Ydech chi'n awgrymu gwneud dêt eto fi?"

"Mi hoffwn i hynny."

"A finne hefyd."

A threfnasant gyfarfod y dydd Sadwrn dilynol.

Roedd hanner ymarferiadau IVB heb eu cywiro, ac roedd yn rhaid iddynt fod yn barod erbyn bore trannoeth. Yn ei hwyl bresennol byddai pendroni drostynt yn groes i'r graen. Aeth i'r gegin a gwneud cwpanaid o goffi cryf — fe gadwai hwnnw hi'n effro, gobeithio. Yna taniodd sigarét ac agor y cyntaf o'r ail bentwr o'r llyfrau sgrifennu a hawliai ei sylw. Un Johnnie Edwards oedd hwn, un o'r disgyblion na ddangosai lawer o ddawn dysgu iaith estron. Ni chredai y byddai Ffrangeg yn fawr o ddefnydd iddo, ond roedd yn rhaid iddo'i dysgu, dawn neu beidio. Un o *alumni* Ysgol Ramadeg Aberwysg y byddai'n sgrifennu *"does his best"* ar ei hadroddiad arno oedd hwn. Chwarae teg iddo am drio, ond yn anffodus doedd ei *"best"* o ddim yn dda iawn.

§

Do, meddyliodd hi, flynyddoedd lawer yn ddiweddarach, pan fflachiodd golygfeydd o'r gorffennol dros sgrîn ei chof, gwelodd Gethin a fi ein gilydd yn lled aml yn ystod y tymor hwnnw ac wedyn, a heb i mi frolio fy hun, roedd yn amlwg ei fod o'n dotio arna i. Roedd o'n fachgen clên — wel, nid bachgen yn hollol; flwyddyn yn hŷn na fi, ond yn ifanc o'i oed. Ond doedd fawr o wahaniaeth, a minnau'n bump ar hugain. Hwyrach fy mod i ar fai yn rhoi'r argraff fy mod i mor hoff ohono fo ag oedd o ohonof fi. Ond isio cael amser da roeddwn i, ac fe'i rhoes i mi. Rhoddais y gorau i ystyriaethau anhunanol ers tro. Mwynheais ei gwmni a gresynais braidd wrth sylweddoli ei fod o'n eiddigeddus o'm cyfeillgarwch â Jones German. Rhaid ei fod wedi'n gweld ni efo'n gilydd ar dro. Pan holodd fi yn ei gylch, ni fedrwn amgen na gwthio'r pwnc o'r neilltu yn ysgafn-fryd, gan ddweud mai un o'r staff oedd o ac mai peth eitha' naturiol oedd i aelodau'r staff fod yn gyfeillion. Os cawn i ginio go iawn efo fo ac ychydig o adloniant (ar ei gorn o, wrth gwrs) doedd gan Gethin ddim achos i gwyno.

"Rwyt ti'n edrych yn flinedig," meddai Joan wrthyf ryw ddiwrnod. "Yr holl jolihoetian 'ma, a chywiro gwaith y plant ar ôl darparu dy wersi ac ar ôl cael amser da, fel rwyt ti'n ei alw fo. Thâl hi ddim i ti losgi dau ben y gannwyll. Gwylia dy gamre. Paid â chwarae â thân."

"Dwi am fyw fy mywyd fy hun fel y mynna i," atebais, os cofiaf yn iawn. Nid yw'r cof mor glir ar ôl deng mlynedd ar hugain, ac weithiau tueddaf i ddychmygu'r manylion. Wel, dyna ni ar fin ffrwydro, a hithau'n fy nwrdio fel 'tawn i'n eneth bymtheg oed yn fflyrtan efo un o'r athrawon. Hwyrach ei bod hi'n eiddigeddus ohonof i am fynd allan efo Gethin a Jones a hithau wedi'i gadael ar y silff a neb yn boddro amdani nac yn ei gwahodd i fwrw gyda'r hwyr yn rhywle. Druan o Joan! Roeddwn i'n hoff iawn ohoni. Ac ella ei bod hi yn llygad ei lle. Yr oeddwn i'r adeg honno yn chwarae â thân. Ond pam lai? Arweiniodd fy serch nwydwyllt at Bryan at ddim ond siom a dadrith a gwacter.

Ond hen, hen hanes ydi hynna.

Oedd, roedd Joan yn iawn. Dylaswn fod yn fwy gwyliadwrus, yn ystod noson anffodus dawns Nadolig y staff, er enghraifft.

§

Awgrymodd Jones German ddechrau mis Tachwedd y byddai'n reit neis pe trefnid dawns-ginio i'r staff. Syniad newydd oedd hwn. Peth od, meddyliodd Gwen, na ddigwyddodd y peth erioed o'r blaen. Hwyrach mai'r rheswm am hynny oedd bod y staff yn gweld digon — neu fwy na digon — ar ei gilydd yn ystod y tymor heb gael dathliad cyn-Nadolig i ddod â nhw ynghyd. Derbyniwyd yr awgrym yn unfrydol, a phenderfynwyd cynnal y cinio ym mhrif westy Aberwysg, yr Alarch Gwyn. Yno y cyfarfyddai'r Clwb Rotari a'r Ford Gron. Roedd Gethin yn aelod o'r Ford Gron, ac roedd gan y gwesty hwn enw da am fwyd rhagorol. Er nad oedd pawb ar y staff yn medru dawnsio, gallai pawb fwynhau gwledd go iawn a'r rhialtwch cyffredinol. Roedd dros ddeg ar hugain o athrawon ar y staff ac ugain ohonynt yn briod, a chymerwyd yn ganiataol fod gan y gweddill gyfeillion a chyfeillesau, a rhwng popeth amcangyfrifwyd y byddai trigain yn bresennol a'r rheiny'n llenwi'r llawr dawnsio heb iddo fod yn anghyfforddus o dynn.

Aeth y noswaith 'fel bom', chwedl yr ymadrodd cyfoes, a'r ddawns yn llwyddiant mawr. Nid oedd prinder partneri i'r sawl a ddymunai ddawnsio. Er mawr lawenydd iddi gwahoddwyd Joan i ddawnsio dro ar ôl tro. Yr unig un nad edrychai wrth ei bodd oedd Mair Jones German. Roedd ganddi gur yn ei phen, meddai, ac o'r herwydd bu raid i Jones fynd â hi adref yn gynnar. Pam, meddyliodd Gwen, na ddaethai hi â Disprin neu rywbeth gyda hi? Mi ddawnsiodd hi, ond dim ond unwaith, gyda'r prifathro, tra dawnsiodd Jones yn ei dro efo gwraig hwnnw ac ychydig o weithiau efo aelodau eraill o'r staff.

Roedd Jones yn ei lawn hwyliau ac mor fywiog ag arfer fel pe bai ef yn bersonol gyfrifol am lwyddiant yr achlysur. A dyna oedd o, mewn gwirionedd; efô a'i trefnodd, a phob clod iddo am ei drafferth ac am ddewis lluniaeth oedd at ddant pawb. Un peth yn unig oedd yn anffodus, ym marn Gwen, a hynny oedd iddo ddawnsio efo hi yn rhy aml. Doedd hynny ddim yn gall, o dan yr amgylchiadau, a Mair yn eistedd o'r neilltu yn bwdlyd.

"Ddylsech chi ddim fod wedi gofyn i mi mor amal," meddai wrtho pan ddychwelodd ar ôl mynd â Mair adref. "Doedd Mair ddim yn edrych yn bles iawn."

"Arni hi mae'r bai," atebodd. "Gofynnais iddi ddawnsio fwy nag unwaith, ond doedd hi ddim isie. Pen tost. Esgus oedd 'ny."

"Hwyrach fod si ar led amdanon ni. Chi'n gwbod sut mae pobol yn clebran."

Eisteddent ar wahân ar ôl wolsio.

"Does gyda nhw ddim achos i glebran."

"Nac oes? Ella' i bod hi'n drwgdybio rhywbeth, neu fod rhywun wedi'n gweld ni efo'n gilydd yn y Queen's pan oeddech chi i fod mewn cwarfod, neu rywbeth."

"Paid â siarad dwli."

"Mae Joan yn meddwl 'mod i'n chwarae â thân."

"Yn whare â thân?" Chwarddodd. "On'd odyn ni'n bihafio'n *discreet*?"

"Gobeithio . . . Wyt ti'n siŵr?"

"Odw."

Serch hynny, teimlai Gwen yn lled anesmwyth — nid oherwydd bod ganddi gydymdeimlad â gwraig a gredai fod ei gŵr yn ei hesgeuluso, ond am na thalai hi ddim iddi fynd i helynt am fod yn rhy gyfeillgar â'r dirprwy brifathro, ac roedd arni ofn mai dyna a ddigwyddai.

"Gwell i ni weld llai ar ein gilydd."

"Dŷ'n ni ddim yn gweld llawer ar ein gilydd fel mae hi. Dim ond yn achlysurol y tu fâs i'r ysgol. Rwy'n hoff iawn ohonot ti, ti'n gwbod."

"Dyna'r peryg. Gwell o lawer fyddai i ni ddod â hyn i ben."

"Na, faswn i ddim yn moyn 'ny."

"Does a wnelo hynny ddim â'r peth. Meddwl amdanaf fy hun rydw i. Hoffwn i ddim cael fy rhoi ar y carped gan yr *Head* a chael rhybudd go chwyrn."

"Ddigwyddith mo 'ny."

"Ond beth petai Mair yn cwyno wrtho fo?"

"Does gyda hi ddim achos."

"Tybed?"

"Paid â sbwylo noson ddifyr. Beth am ddawns arall? Does gyda fi'r un partner."

"Gofynna i Joan."

"Olreit. Ond mi af i â thi adre."

"Na, mi gymera i dacsi."

"Cawn weld."

Tynnodd Gwen baced o Embassy o'i bag llaw, cynnau un a

chwythu'r mwg o'i cheg yn synfyfyriol. Daeth Rogers Maths ati
a gofyn am ddawns.

Daeth y noswaith i ben. Canodd pawb *'Auld Lang Syne'* a 'Hen
Wlad fy Nhadau' a chyn ymadael cafwyd bowlaid o gawl *'for the
road'*. Mynnodd Jones German fynd â hi a Joan i'w lletyau yn eu
tro, er gwaethaf ei phrotest.

"Mae hi'n rhy oer i sefyllian a sgwrsio," meddai Gwen wrth
gyrraedd ei llety, "a fedra i ddim gofyn i ti ddŵad i mewn. Dydi
Mrs Lewis ddim am i mi entertênio dynion yn ei thŷ hi, yn
enwedig wedi un o'r gloch y bore."

"Paid â becso," meddai Jones. Fe'i cofleidiodd a'i chusanu
am y tro cyntaf erioed ond nid ymatebodd hi; âi hynny dros ben
llestri, er mor hoff oedd hi ohono.

Datglôdd y drws a mynd i'w llofft yn ddistaw bach a
chynnau'r tân trydan. Teimlai'n flinedig ac yn chwyslyd ar ôl y
dawnsio a'r gwin a gwres y gwesty a thynnodd oddi amdani'n
hamddenol. Er ei blinder, nid oedd yn gysglyd. I'r gwrthwyneb,
roedd ei meddwl yn gwbl effro. Un peth yn unig a amharodd ar
ei mwyniant, ac ymddygiad Mair Jones oedd hwnnw. Ond odid
fod ganddi gur yn ei phen, ond amheuai Gwen mai rhywbeth
tebyg i'r 'annwyd diplomataidd' ydoedd. Wrth reswm, gallai
fod yn ddilys; nid oedd cur pen yn gwbl anhebygol ac ystyried yr
awyrgylch trymaidd a'r siarad a sŵn y band. Ond nid arhosodd
am fwy nag awr a hanner ar ôl y cinio. Gobeithio na châi Jones ei
dafodi am ddawnsio gyda hi mor aml — wel, dim ond pedair
gwaith, o ran hynny. Ond hwyrach fod hynny'n ddigon i
dramgwyddo Mair. Roedd hi wedi sbio braidd yn sarrug arni,
neu o leiaf yn anghymeradwyol. Ond un felly oedd hi; yn
surbwch wrth natur ac yn dra anghynnes, a hwyrach fod
anianawd allblyg a phersonoliaeth orthrymus ei gŵr wedi
sugno'r gwaed coch o'i gwythiennau, megis, a thanseilio'i
hunanhyder, ac roedd o bron ugain mlynedd yn hŷn na hi.
Dichon mai dyna a ddigwyddai iddi hithau pe gorfodid iddi fyw
efo Jones am ddeuddeng mlynedd, oni wrthryfelai. Gresyn nad
oedd ganddynt blant. Hwyrach y byddai hynny wedi gwneud
gwahaniaeth iddi.

Crynodd wrth ddadwisgo a thynnodd ei dwylo dros ei

chluniau a'r bronnau a dolachodd Bryan — pryd? — flwyddyn a
hanner ynghynt. Rhynnodd yn yr oerfel a gwisgodd ei
phyjamas. Roedd ystafell wely yn nyfnder gaeaf fel rhewgell, a
thila oedd y tipyn gwres o'r tân trydan, ond roedd yn well na
dim. Fe'i diffoddodd a neidio i mewn i'r gwely a thynnu'i
phenliniau ati er mwyn cynhesu, fel plentyn yng nghroth ei fam.
Drannoeth âi hi i siopa i brynu anrhegion i'w rhieni a'i brawd.
Roedd yn anodd gwybod beth i'w roi iddynt, ond mae'n siŵr y
byddai ei thad yn falch o gael hanner pwys o faco a'i mam o gael
cardigan. Ac Ieuan? Tipyn o broblem oedd hwnnw. Nid oedd
yn smocio, ac amheuai a fyddai tei yn ddefnyddiol iddo, a fynte
bron byth yn gwisgo un — ac roedd ganddo rai yn barod, beth
bynnag. Ella y gwnâi rasal o ryw fath newydd y tro, os oedd 'na
un i'w gael. Byddai'n braf mwynhau gwres clyd hen bentan
cegin Peniarth, a gwreichion y tân coed yn tasgu i fyny'r simnai
a Siân y gath yn canu grwndi ar y mat o'i blaen. Rhagwelai
broblemau yn y flwyddyn newydd, ond digon i'r diwrnod ei
ddrwg ei hun.

§

Roedd Gethin yn ymddwyn fel pe bai wedi ei benodi'i hun yn
fath o osgordd iddi. Eisteddai yn ei hymyl yng nghyfarfodydd y
Gymdeithas Gymraeg fel petai'n ei ystyried ei hun yn olynydd i
Bryan. Ofnai Gwen fod ei ymarweddiad amddiffynnol yn rhy
amlwg a'i fod yn ceisio ei chymryd hi dan ei adain, fel y gwnaeth
Bryan, a sicrhau na neidiai neb arall i mewn i'r bwlch. Yn awr, ar
ddechrau'r flwyddyn newydd, dymunai iddi fynd gydag ef i
ddawns-ginio'r Ford Gron. Credai hi fod dwy ddawns-ginio o
fewn mis braidd yn ormodol. Ond pam lai? Mwynhâi ddawnsio
a phryd o fwyd go helaeth, poteliad o win, cyfeillgarwch ac
afiaith. Byddai'r dynion i gyd yn ifainc — dan ddeugain oed —
a'r cwmni'n fwy amrywiol nag yng nghinio'r staff, a phawb yn
cynrychioli swydd neu broffesiwn neu fusnes. Fe ddylai fod yn
noson ddiddorol, ac oblegid hynny derbyniodd Gwen
wahoddiad Gethin a oedd yn cynrychioli'r Llywodraeth Leol.
Gwledda, sgwrsio, smocio, llymeitian; nid oedd Gwen yn
brin o bartneriaid a methodd ymdrechion Gethin i'w monopol-

eiddio. Fan yma nid oedd dim siarad siop, fel y digwyddai ymhlith athrawon, ac roedd y gwragedd ifainc yn smart ac yn ffasiynol. Y tebyg oedd bod eu gwŷr yn ennill mwy nag athrawon. Gwell, hefyd, oedd dawnsio efo Gethin na chael ei gwasgu yn erbyn brest a bol porthiannus Jones German, er ei fod o'n ddawnsiwr da. Roedd hwn o'r un genhedlaeth â hi.

Mab perchen ariannog yr *Aberwysg Courier and Guardian* a'i olygydd oedd y llywydd, a'r cadeirydd y flwyddyn honno yn dwrnai cefnog, a phe cynigid gwobr am y gwisgoedd crandiaf, diau mai eu gwragedd hwy a enillai'r wobr gyntaf a'r ail. O'i chymharu â hwy teimlai Gwen, os nad fel dafad ddu mewn praidd gwyn, eto yn syml ac yn ddiymhongar. Ond ni phoenai hynny hi. Yn y cwmni hwn roedd hi'n fywiog ac wrth ei bodd.

Toc wedi un o'r gloch aeth Gethin â hi yn ôl i'w llety, a phan gyraeddasant y tŷ diffoddodd y peiriant a rhoi ei fraich amdani. Nid ofnai y byddai'n ymddwyn yn anweddus; yr oedd yn llawer rhy oer i hynny, p'run bynnag. Yr unig beth a ofnai oedd y byddai'n ymserchu ynddi; ni fynnai hynny. Cawsai ei gwala o gymhlethdodau serch eisoes — ond fe wnâi Gethin y tro i'w diddanu. Weithiau tybiai y gellid cyfiawnhau unrhyw beth er mwyn talu'r pwyth yn ôl i Bryan, hyd yn oed os na wyddai hwnnw ddim am y peth. Gallai ddychmygu Bryan yn rhincian ei ddannedd pe gwyddai nad ef oedd yr unig un a'i câi'n ddeniadol. Tybed a ddwysbigwyd ef gan ei gydwybod ar brydiau? Go brin. Rhaid iddi ofalu nad ei chosbi ei hun a wnâi. Yn ôl pob tebyg roedd o eisoes wedi anghofio amdani, neu os nad oedd o wedi anghofio'n gyfan gwbl, o leiaf, doedd o'n malio dim bellach.

"Rydech chi'n ddistaw iawn."

Torrodd Gethin ar draws ei feddyliau.

"O, dim ond meddwl o'n i."

"Hel meddylie?"

"Nage, nid yn hollol, ond rhywbeth felly."

"Meddwl amdana i oeddech chi?"

"Nage, nid hynny'n hollol, 'chwaith."

"Rydw i'n meddwl amdanoch chi o hyd."

(O, dyma'r garwriaeth yn dechrau.)

" 'Swn i'n tybio bod yna well pwnc. Gwell i chi ganolbwyntio ar eich gwaith yn Neuadd y Dre. Ac mae hi'n rhy hwyr ac yn rhy oer i garu. Rhaid i mi fynd cyn i mi rewi'n gorn."

Trodd Gethin yn ddirybudd, ond nid yn annisgwyl, a'i chusanu hi'n llawn ar ei gwefusau, ac fe'i caniataodd. Pam lai? Roedd cusan wir serchus yn eithaf derbyniol, yn fwy dymunol na chael ei llyfu gan Bryan â'i anadl yn arogli o wisgi, ac yntau'n sôn am gnuchio efo blydi bitsh o gelain (na, ni fedrai yn ei byw wthio'r peth o'i chof). Cusan serchus a di-drachwant oedd cusan Gethin. Cusan foneddigaidd.

"Sws fach neis iawn," meddai Gwen wrth ymryddhau. "Diolch i chi am noson fendigedig, Gethin bach. Wyddwn i ddim fod aelodau'r Ford Gron yn bobol mor ddymunol."

"Ddim pob un."

"Gethin bach." Pam, tybed, y teimlai hi mor nawddogol tuag ato, fel pe bai hi'n llawer hŷn nag ef? Am ei bod hi wedi aeddfedu oddi ar i Bryan roi'r gorau iddi? Synnai hi ddim.

§

Yn ystod y tymor gwelodd Gwen Jones German o dro i dro y tu allan i oriau'r ysgol, a Gethin ar nosweithiau'r Gymdeithas Gymraeg yn ogystal â mynd am dro gydag ef yn ei gar pan ddechreuodd y dyddiau ymestyn. Ni wyddai a ddyfalodd y naill am ei chyfeillgarwch â'r llall ai peidio. Dichon na wyddent. Beth bynnag, doedd hi ddim am eu dandlwn fel pypedau ar linyn, a'u chwarae yn erbyn ei gilydd, megis, i hybu eiddigedd. Pe dymunai chwarae gêm â hwy, byddai hynny'n ddigon hawdd ac fe fyddai'n peri difyrrwch iddi. Fel roedd pethau, roedd hi'n fodlon derbyn beth bynnag a gynigient iddi heb roi dim yn ôl iddynt hwy ond ei chwmni. Cyn belled ag yr oedd difyrru yn y cwestiwn, Jones German a'i difyrrai fwyaf. Serch ei ymddygiad call y tu mewn i'r ysgol, ofnai Gwen y deuai si o'u perthynas i glustiau ei wraig ond ysgubai Jones y tebygolrwydd o'r neilltu gan chwerthin am ei phen am fod mor bryderus.

Yna, wythnos cyn diwedd y tymor, ffrwydrodd y bom.

"Rhaid i ni gael sgwrs ar unwaith," sibrydodd Jones yn yr ystafell gyffredin. "Dwi mewn diawl o stomp. Fe alwa i heibio i dy digs am bump o'r gloch."

"Be sy'n bod?"

"Weda i wrthot ti yn nes ymlân."

Yr oedd yn amlwg fod rhywbeth difrifol wedi digwydd.

Roedd Gwen yn disgwyl yn nerfus ac yn bryderus pan gyrhaeddodd Jones am bump o'r gloch i'r funud.

"Mair," meddai. "Rywsut neu'i gilydd fe ddoth i wbod amdanon ni."

"Wel?"

"Mae hi wedi rhoi rhybudd i mi. Fe gaethon ni ffrae ofnadw. Rhaid i ti neu fi adael Aberwysg neu fe fydd yna sgandal heb ei hail. Fe wedith wrth y prifathro ein bod ni'n caru a'i gwneud hi'n amhosibl i ddal 'mlân yn yr un ysgol. Y dirprwy brifathro'n cael *affair* gydag un o'r athrawesau, a hwnnw'n ddyn priod, ac ati. Mae hi'n bygwth dwyn y mater i sylw'r *governors*. Pe dôi ar goedd, mi fyddai'n gyrfaoedd ar ben."

Taniodd Gwen sigarét, ei gwefusau'n crynu.

"Mi fuon ni'n ffyliaid," meddai, "a thithe mor siŵr nad oedd neb yn gwbod — ar wahân i Joan, a fase hi'n dweud 'run gair wrth neb, ond mi ddaru hi fy rhybuddio rhag chwarae â thân."

"Do, fe wedest ti, hefyd . . . Mae'r fenyw wedi rhoi tri dwarnod i ni benderfynu."

"Am ddynes garedig! Ydi hi yn ei hiawn bwyll?"

"O, odi. Mae hi'n gwbod be mae hi'n ei wneud."

"Wyt ti'n ei beio hi?"

"Nag'w, ddim yn hollol."

"Jones German, y dyn priod uchel ei barch, yn ei chawlio hi efo athrawes yn ei swydd gynta. Stori go dda. Gwen Tomos, y *femme fatale*. Rargien fawr! Os yden ni i gadw'r peth 'ma dan gaead, rhaid i mi'i heglu hi. Hel 'y nhraed. Mynd bant, fel y baset ti'n ddweud . . . Na, paid â phoeni. Wna i ddim dy gompromeisio di. Mi ffeindia i ffordd allan o'r cawdel. Nid am 'mod i'n f'aberthu fy hun er mwyn cariad. Dim byd mor arwrol â hynny. Tydw i ddim yn dy garu di, p'run bynnag. Ond mi godaist 'y nghalon i pan o'n i yn y dymps ar ôl Bryan, a diolch i ti am hynny. Mi wnaeth hen dro sâl iawn â fi. Rhaid i ti faddau i mi am fanteisio ar dy garedigrwydd."

"Nid caredigrwydd. Wn i ddim be wna i hebddot ti na shwt y medra i ddal ymlân â phethe fel y maen nhw."

"Rhaid i ti . . . Gwell i ti fynd rŵan. Does 'na ddim rhagor i'w ddweud ar hyn o bryd . . . Na, wna i ddim dy anghofio di, Jones German," meddai pan gododd ef i ymadael. "Roeddet ti'n help mawr i mi." Cusanodd ef yn ysgafn ar ei foch wrth iddo fynd. "Pob lwc i ti . . . ac i minnau hefyd, o ran hynny."

Eisteddodd yn ei hunfan yn smocio'r naill sigarét ar ôl y llall nes oedd y ddysgl yn llawn lludw a llwch a stybiau Embassy. Roedd y bêl wedi taro'n ôl. Chwarae â thân, wir! Ac un o nodweddion tân oedd ei fod yn difa. Wel, cawsai ei sbri efo Jones German, ond nid dyma'r canlyniad a ddisgwyliai. Bryan a'i uchelgais a'i ragrith oedd yn gyfrifol am y cwbl, damio fo — am y gwacter a'i cnoai fel cancr. Ond roedd bai arni hithau hefyd am fod mor wirion. Beth bynnag, doedd dim dewis ganddi bellach; roedd yn rhaid iddi adael Aberwysg a'r ysgol lle y bu'n hapus ac yn llwyddiannus — fel athrawes, beth bynnag, er byrred ei phrofiad. Ond doedd mo'r help, os oedd y wrach yna o ddifri, ac mae'n siŵr ei bod.

Ni chysgodd lawer y noson honno; bu'n pendroni tan oriau mân y bore nes y llwyddodd i gael dihangfa o'i dryswch. Roedd hi wedi penderfynu beth a wnâi.

Brynhawn trannoeth, a hithau'n bur aflawen, aeth i weld y prifathro.

"Mae'n ddrwg gennyf, Mr Hughes," meddai, "ond mae'n rhaid i mi roi rhybudd i chi 'mod i'n bwriadu gadael Aberwysg ddiwedd y tymor nesa."

Sbiodd y prifathro arni'n syn.

"Pam yn y byd mawr, Gwen? Dydych chi ddim yn hapus yma?"

"Dwi wrth 'y modd. Ond dwi am fynd yn ôl i Aber i wneud M.A. ac mae arna i ofn na fedra i wneud y gwaith a dysgu'r plant yr un pryd, a bod yn deg â nhw."

"Ydech chi'n hollol siŵr? Mi fuoch yn gaffaeliad mawr i ni. Rydych chi'n athrawes dda."

"Mi wn i hynny. Ond dwi isio cael rhagor o gymwysterau. Mi fydda i'n treulio rhan o'r amser yn Ffrainc."

Chwaraeai'r prifathro â'i feiro.

"Chaech chi ddim grant, wyddoch chi. Mae'r adran addysg yn gaeth iawn."

Amneidiodd Gwen ei chydsyniad. Câi help gan ei thad, meddai, a hwyrach y cymerai hi ddisgyblion preifat.

"Fedra i mo'ch perswadio chi i aros?" ymbiliodd. "Mae llawer un wedi ennill ei M.A. tra'n gweithio. Dyna wnes i, er enghraifft."

"Na, dwi wedi penderfynu. Bydd M.A.'n golygu gweithio llawn amser i mi, os nad ydw i i fod wrthi am dair blynedd."

"Ai dyna'r unig reswm? Dim byd personol?"

"Na, dim o gwbwl. Dwi'n hoffi'r ysgol a'r staff ac mi gartrefais yma'n fuan iawn."

"Dim problemau emosiynol?"

(Tybed pam yr oedd o'n holi fel hyn? A oedd o'n gwybod amdani hi a Bryan?)

"Meddwl o'n i, gan i chi ddod i'r fath benderfyniad mor sydyn."

"Mi fues i'n cysidro'r peth ers tro. Gobeithio y cewch chi rywun i gymryd fy lle erbyn yr hydref."

Fe'i casaodd ei hun am ddweud celwydd.

"Siŵr o wneud. Ond mi ydw i'n amau a gawn ni rywun cystal â chi."

"Diolch yn fawr i chi am ddweud hynny."

"Mi ro i dysteb dda i chi a chanu'ch clodydd fel athrawes dda, er na fuoch chi ddim yma ond am dair blynedd. A chyda llaw, cofiwch sgwennu llythyr ffurfiol os ydech chi o ddifri. Rhaid i mi gael y peth ar ddu a gwyn."

"Dyma'r llythyr yn eich hysbysu o'm hymddiswyddiad. Mae o gen i'n barod."

Fe'i tynnodd o'i bag a'i estyn iddo.

"Rydw i'n anfodlon ei dderbyn o," meddai'r prifathro. "Ond os ydech chi wedi penderfynu, pob lwc i chi."

Wel, meddai wrthi'i hun, dwi wedi croesi fy Rwbicon, ond dwi ddim yn edrych ymlaen at dymor cyfan o weld Jones yn feunyddiol a chogio na fu dim rhyngom ni. Y peth nesa fydd dweud wrtho fo 'mod i wedi gwneud yr unig ddewis sy'n bosib. Ffwlbri anhygoel fyddai iddo fo ymddiswyddo a chwilio am swydd arall. Mae o'n rhy hen i gael swydd prifathro bellach.

Drannoeth dywedodd wrtho ei bod hi eisoes wedi hysbysu'r prifathro o'i hymddiswyddiad.

"Gei di ddeud wrth dy bitsh o wraig na fydd raid iddi bryderu yn dy gylch di rŵan. Wn i ddim sut y medri di ddal ymlaen i fyw efo hi, ond dy broblem di ydi honna. Mi fyddi di'n saff, p'run bynnag."

Edrychodd Jones arni'n amheus.

"Felly, byddwn yn dal i weld ein gilydd bob dydd am dymor arall. Neith hynny mo'i siwtio hi."

"Mi fydd yn blydi wel rhaid. A rhaid i tithe fod yn bwyllog. Dim mwy o giniawa ac ati. Ond tybed oni fase'n gallach ei herio hi?"

"Dwyt ti ddim yn nabod Mair. Does dim symud arni pan fydd ganddi obsesiwn ynglŷn â rhywbeth. Ac mae hwn yn obsesiwn."

"Druan ohonot ti! Wel, dywed fy mhenderfyniad wrthi, os gneith hynny'i thawelu hi."

"Mi weda i."

Fe wnaeth, ond ni foddhâi hynny Mair Jones.

"Fe wedodd fod rhaid i ti 'madael ar unwaith," meddai Jones drannoeth. "Wedes i wrthi dy fod ti — fel finne — dan gytundeb i roi tymor o notis cyn y medri di 'madel, ond wrandawai hi ddim."

"Mi wrandawith arna i, Edgar. Gei di weld . . . Os nad oes gen ti'r gyts i ddweud wrthi am fynd i'r diawl, mi siarada i â hi yn blwmp ac yn blaen."

Sylweddolodd iddi ei alw'n Edgar am y tro cyntaf erioed.

"Ydi hynny'n beth call?"

"Call ne beidio, mi wna i."

"Paid â gwneud pethe'n waeth."

"Ond yn gynta mi dria i ei pherswadio hi i ddŵad at ei choed a bod yn gymodol, os gwrandawith hi. Ond os gneith hynny fethu, mi geith dipyn o flas 'y nhafod."

"O'r gore. Tria hynny i ddechre. Ond dwi'n amau a fyddi di'n llwyddiannus."

"Cawn weld."

Gyda'r hwyr aeth i dŷ Jones German ar neges a gasâi yn llwyr.

Ofnai y câi dderbyniad go hallt gan Mair Jones, a chymryd y byddai'n fodlon siarad â hi. Pe methai ei darbwyllo hi i wrando, yna ni fyddai dim amdani ond siarad â hi yn ddifloesgni, fel y dywedodd wrth Jones.

Jones ei hun a agorodd y drws a'i thywys i mewn i'r lolfa. Rythodd Mair Jones arni â syndod a drodd yn gasineb amlwg.

"Mâs â chi ar unweth, yr hwren ddigywilydd!" poerodd. "Mâs! Mâs!"

Ceisiodd Gwen fygu ei dicter a'i diflastod.

"Rydech chi dan gamsyniad, Mrs Jones. Wnes i ddim hudo'ch gŵr. Wnaethon ni ddim byd anweddus."

"Peidiwch â gweud celwydd. Mi wn i'ch bod wedi cwrdd i garu pan oeddwn i oddi cartre. Mâs â chi, 'nawr, glou."

Cododd ar ei thraed a bu ond y dim iddi gydio yn Gwen, ond i Jones ei gwthio yn ôl i'w chadair.

"O'r gore," meddai Gwen. "Mi ddês yma i siarad â chi yn rhesymol a thrio'ch cael i weld ein bod ni'n ddieuog o'r hyn yr ydych chi'n ei ddrwgdybio. Ond gan ichi f'insyltio a 'ngalw i'n hwren, mi ddweda i fy meddwl heb flewyn ar 'y nhafod. Na, wna i ddim aros yn hir. Peidiwch â phoeni. Yn gynta, rydech chi'n ymddwyn fel dynes niwrotig. Roedd y berthynas rhwng eich gŵr a fi yn hollol weddus. Wnaethon ni ddim drwg, dim caru, dim godinebu, os mai hynny sy'n eich poeni chi. Wnes i ddim puteinio efo fo, a dwi ddim yn fath o *femme fatale* sy'n hudo gŵr oddi wrth ei wraig. Os yw'n well ganddo fy nghwmni i na'ch cwmni chi, holwch eich hunan paham . . . Na, peidiwch â thorri ar fy nhraws . . . Mae dyn isio byw efo cig a gwaed nid efo . . ." (roedd y geiriau 'bitsh o gelain' ar flaen ei thafod, ond fe'i hataliodd ei hun mewn pryd). "Ond . . . dyna ddigon am hynna. Dwi am adael Aberwysg cyn gynted ag y bo modd, a diwedd y tymor nesa y bydd hynny, er y bydd yn boen fawr i mi. Does ganddoch chi mo'r hawl i ddweud wrtha i pryd i fynd a be sy'n rhaid i mi wneud. Ac os byddwch chi mor ffôl â dweud gair wrth y prifathro, neu'r llywodraethwyr neu unrhyw un arall, mi wna i gymaint o helynt fel bod eich enw'n drewi yn y dre 'ma, ac mi wna i'ch erlyn am athrod. Rhaid i chi ddygymod â'r ffaith y bydda i yma tan ddiwedd tymor yr haf. Felly, cysgwch yn dawel, os medrwch chi. Dderbynia i'r un gwahoddiad gan eich gŵr, peidiwch â phoeni, neu becso, fel rydech chi'n ddweud yn y De, a wna i mo'i demtio fo, 'chwaith, os ydech chi'n meddwl mai dyna wnes i. Isio tipyn o gyfeillach am na chafodd mohono yn ei gartref ei hun oedd o, ac roeddwn inne'n falch o gael ei gwmni. Mae o'n ddifyr a diddorol a hael. Os gwnaeth hynna i chi fod yn eiddigeddus, mi fedra i ddallt. Ond hwyrach mai arnoch chi eich hunan y mae'r bai."

Roedd y sefyllfa'n fwy nag annhebygol, roedd hi'n anhygoel. Tra areithiai Gwen edrychai Mair Jones arni fel delw garreg â'i hwyneb yn goch gan gynddaredd. Ni ddywedodd yr un gair am ychydig eiliadau. Yna:

"Y ddiawles ddigywilydd!" sgrechiodd. Cododd a wynebu Gwen. Ofnai Gwen y câi wasgfa. Yn ddirybudd rhuthrodd Mair tuag ati yn wyllt gan boeri casineb a llid. "Y ddiawles ddigywilydd!" llefodd drachefn.

Oni bai i Jones ei rhwystro, buasai Mair wedi ymosod arni yn filain. Camodd Gwen o'r ystafell i'r cyntedd ac allan i'r stryd. Roedd hi wedi'i chawlio hi yn enbyd, meddyliodd, wrth gyrraedd ei lety. Dylasai fod wedi ei rheoli ei hun yn lle rhoi rhwydd hynt i'w theimladau, fel hogyn mewn tymer ddrwg. Oedd, roedd Mair Jones yn haeddu pob gair, a rhagor. 'Hwren', 'diawles', ar y naw! Ond hwyrach ei bod hithau ar fai yn defnyddio Jones German at ei dibenion ei hun. Roedd yn naturiol i wraig gynddeiriogi wrth ddrwgdybio bod ei gŵr yn anffyddlon iddi. Ond ni fedrai hi faddau i'r ddynes am ei blacmêl. Aethai dros ben llestri — a hwyrach mai dyna a wnaeth hithau hefyd, gan ffyrnigo'r ddynes fwy fyth.

Arswydodd wrth geisio dyfalu sut y gallai'r ddeuddyn gydfyw wedi hyn, oni ddeuai Mair Jones at ei choed. Gobeithio y gwnâi, wir. Ond yr oedd hi'n rhy hwyr i 'ddifaru. Diolch i'r drefn fod y tymor yn dirwyn i ben a gwyliau'r Pasg yn agosáu. Gwnâi tair wythnos o dawelwch ym Mheniarth les iddi.

Y cam nesaf fyddai cysylltu â'r coleg a'u hysbysu o'i bwriad i weithio ar gyfer M.A. Byddai'n rhaid trafod y pwnc gyda'r Athro Ffrangeg. Yn y cyfamser roedd yn rhaid iddi dreulio tymor pellach yn Aberwysg, a dyn a ŵyr sut y byddai Mair Jones yn ymddwyn tuag at ei gŵr. Efallai mai gwell fuasai ei herio, ond roedd hi'n rhy hwyr i feddwl am hynny rŵan. Y gorau fedrai hi obeithio amdano oedd i'w geiriau ymfflamychol ddod â Mair at ei choed.

Synnodd y staff pan aeth y si ar led fod Gwen yn gadael yr ysgol ar ddiwedd y tymor, a hithau heb fod gyda nhw ond am dair blynedd. Llwyddodd i'w hargyhoeddi mai'r unig reswm dros ei hymadawiad oedd ei phenderfyniad i wneud gwaith ymchwil am flwyddyn neu ddwy.

Pan welodd Jones German holodd ef ynglŷn â Mair.

"Mae hi wedi tawelu," meddai, "ond wn i ddim sut y bydd hi o hyn ymlân. Mae'n rhaid iddi ddygymod â gwybod dy fod ti yma tan ddiwedd y tymor."

"Dwi ddim yn cenfigennu wrthot ti! Bydd gen ti gryn dipyn ar dy blât."

"Mi wna i ymdopi. Ond mae'n ddrwg ofnadw gyda fi taw ti sy'n gorfod gwneud yr aberth. Yn ôl y *Times Ed.* a'r *Faner* mae ysgol yn Sir Gâr isie prifathro ym mis Medi. Mae hwnnw sydd yno nawr yn ymddeol. 'Tawn i'n cael y swydd fase dim rhaid i ti fynd."

"Edgar annwyl, sut yn y byd mawr y medra i dynnu'n ôl rŵan? Mi fyddwn i'n edrych yn blydi ffŵl. Ac mae'n swydd i eisoes wedi'i hysbysebu yn y wasg. A does 'na ddim sicrwydd y caet y job yna yn Sir Gâr, p'run bynnag. Na, mae hi wedi whech, chwedl pobol y De. Aros di yma, 'was. Fi 'di'r un sy'n gorfod ei heglu hi."

"Dwi ddim yn hapus o gwbl. Arna i mae'r bai."

"Arnon ni'n dau . . . a Mair. Os gall dy wraig ddiodde meddwl amdana i'n aros tan fis Gorffennaf, bydd popeth yn iawn ac yn daclus, a phawb mor llawen â'r gog, os ydi'r edn hwnnw'n llawen. Gobeithio y bydd yna fwy o lawenydd yn dy dŷ di, a phawb wrth eu bodd am fod y *femme fatale*, Marlene Dietrich ysgol ramadeg Aberwysg, wedi hel ei thraed. Popeth yn '*sweetness and light*', chwedl Matthew Arnold."

"Paid â rwdlan."

"Fedra i ddim peidio. Beth amgen galla i 'i wneud, dywed? Dwi ddim am fynd o gwmpas â wyneb cyn hired â ffidil. Na, gyfaill, mae'r coelbren wedi'i fwrw. Paid â phoeni amdana i. Mae gen ti ddyletswydd gartre, a does gen i ddim cyfrifoldebau. Cyn belled ag yr ydw i yn y cwestiwn, mae'r mater wedi'i gau."

"Ti sy'n gwneud iawn amdanon ni'n dou."

"O, taw â siarad fel 'tawn i'n ferthyr. Bydd gen ti ddigon ar dy ddwylo heb falio amdana i."

"Falle y dylen ni'n dou fynd bant."

"Lol botes. Mi fydde hynny'n sgandal . . . Gwranda, mae'r sgwrs yma'n mynd yn ddiflas. Does dim diben tramwyo'r un tir drachefn a thrachefn."

Ni chrybwyllodd Jones y pwnc ar ôl hynny am dair wythnos, ac yna:

"Mae Mair yn fy nrysu i'n lân â'i holl holi," meddai un diwrnod. " 'Fuost ti gyda'r ferch yna eto?' 'Odych chi'n dal i weld eich gilydd?' A finnau'n paldaruo eto. Wrth gwrs 'mod i'n dy weld di yn y *staff-room* bob dydd. Sut ddiawl fedra i beidio?"

"Ydi hi'n colli arni'i hun?"

"Synnwn i ddim."

Edrychai Gwen ymlaen at ddiwedd y tymor er mwyn medru rhoi terfyn ar yr holl ynfydrwydd a chanu'n iach i'r sefyllfa a oedd erbyn hyn yn ymylu ar fod yn rhyw fath o gomedi drasig. Ond yr oedd un cysur; roedd Mair Jones yn dygymod â'i harhosiad yn Aberwysg tan ddiwedd y tymor. Hwyrach i'r bygythiad i'w chyhuddo o enllib daro peth synnwyr i mewn i'w phen. Wrth ystyried y mater ymhellach tybiai Gwen y dylai hi fod wedi anwybyddu bygythiad Mair a risgio'r canlyniadau. Ond amheuai Jones hynny. A beth bynnag, fe fyddai 'na sgandal.

A dyna Gethin. Gresynai ato. O, oedd, roedd hi'n ei hoffi fel cyfaill, ond roedd ef am gael ei ystyried yn gariad iddi. Fe ddeuai eu perthynas hwy i ben, hefyd, a gofidiai Gwen am hynny.

Ar brynhawn braf o Fehefin gorweddent ochr yn ochr ar lawnt yn syllu ar Gastell Cas-gwent — arwydd arall o ddarostyngiad y Cymry, meddyliodd Gwen, er ei fod yn hardd ac yn atyniad i dwristiaid. Bu hi yma droeon, ac yn awr, ond odid, am y tro olaf; ofnai y byddai hwn yn achlysur dagreuol — o ran Gethin, beth bynnag — a chasâi achlysuron dagreuol.

"Mi fydd yn chwith ar dy ôl di," meddai Gethin. Dim ond yn ddiweddar y dechreuodd ei thydïo hi.

"Mi fydda i'n dy golli dithe, hefyd," atebodd, ac roedd hynny'n wir. Cawsent adegau hyfryd gyda'i gilydd yn ystod y chwe mis diwethaf, pan fedrai sbario'r amser rhwng gŵyl a gwaith. Er y buasai bwrw noson efo fo mewn rhyw westy yn y wlad wedi bod yn brofiad dymunol, gwrthododd y demtasiwn. Ni châi fyth eto wefr gyffrous debyg i honno a gawsai efo Bryan, ddwy flynedd ynghynt; ni ddymunai ei rhwymo ei hun wrth neb, a byddai cyfathrach rywiol efo Gethin yn ymrwymiad na fedrai mo'i wynebu — yn weithred derfynol ac yn fwy na phleser gwibiol. Hwyrach ei bod hi'n hen ffasiwn; croesawai llawer y cyfle i neidio i mewn i'r gwely gyda Gethin neu orwedd gydag ef mewn llecyn anghysbell. Do, fe'i temtiwyd hithau i wneud hynny unwaith, ond tynnodd yn ôl rhag iddi 'ddifaru yn nes ymlaen. Ac yn awr gorweddent law yn llaw ar y lawnt a Gethin yn addef cymaint yr oedd yn ei charu. Gwyddai na olygai fawr ddim iddi hi ond fel cyfaill dros dro, a bu raid iddo dderbyn y sefyllfa heb hawlio dim ganddi.

" 'Ti wyddost be ddywed fy nghalon'," dyfynnodd.

"Gwn yn eitha da, ond da thi, paid â bod mor sentimental. Mi ddylet ti fod ar gefn dy geffyl gwyn — os wyt ti'n gyfarwydd â'r idiom — ar ôl ennill hanner canpunt yn y rasys y pnawn 'ma."

"Lwc oedd hynny. Chlywis i mo enw'r ceffyl 'rioed o'r blaen. Wn i ddim byd am geffyla."

"Lwc neu beidio, rwyt ti'n gyfoethocach o hanner canpunt. Be wnei di efo nhw?"

"Be wna i? Wn i ddim . . . Ond aros di. Mi wn i be wna i — mynd â thi i westy gorau Cas-gwent i gael y cinio gorau fedran nhw 'i roi i ni. Ein dathliad ola."

"Syniad reit dda. Ardderchog. Ond rhaid i ti fihafio'n synhwyrol."

"Be wyt ti'n feddwl wrth 'synhwyrol'?"

"Wel, peidio â galaru am na weli di mohona i eto ac edrych fel taset ti wedi llyncu mul. Ond mi ydw i am gael coctêl rŵan. Cusan go dda, jest i dy blesio di."

"O'r gore. Ond cofia. Mae 'na bobol o gwmpas."

"Waeth gen i ddim."

Mewn eiliad roedd o'n gorwedd arni a'u gwefusau'n asio. Roedd ei gorff yn ei chyffroi, a phwniai ei chalon pan ymryddhaodd a throi ar wastad ei gefn. Sychodd Gwen ei gwefusau, a gorwedd yn dawel tra cydiai ef yn ei llaw a phlethu'i fysedd am i rhai hi. Oedd, roedd hi'n hoff ohono ac roedd yn flin ganddi na welai mohono wedi i'r tymor ddod i ben.

Roedd y cinio yn wledd — *hors-d'oeuvre*, lleden y môr, *escalope* porc tyner wedi'i addurno â madarch, tomatos, lemon, a *capers;* yna melysfwyd pînafal, hufen iâ, gwin Sauterne, a choffi Gwyddelig. Parhaodd y pryd am awr gron a phan gododd o'r bwrdd prin y gallai Gwen symud, gan helaethed yr ymborth. Roedd hi'n bosib cael pryd da o fwyd hyd yn oed yng Nghasgwent.

"Ddoi di i mewn?" gofynnodd Gethin pan gyraeddasant ei lety.

"Ddylwn i?"

"Pam lai? Wna i mo dy dreisio di. Bihafio'n synhwyrol, dyna ddudest ti."

"Gwell i mi beidio."

"Rwtsh. Ty'd i mewn. Dim ond am funud bach."

"O'r gore. Dim ond am funud bach."

"A llymaid bach."

"Hwnnw hefyd."

Aethant i mewn i'r tŷ.

"Be gymeri di?"

"Be sy gen ti?"

"Wisgi. *Cherry brandy.* Martini."

"*Cherry brandy.*"

Llanwodd ddau wydryn.

"*Cheers!*"

"*Cheers!*"

"Wyt ti ddim am eistedd?"

"Nac ydw. Dim ond dŵad i mewn am lymaid ffarwelio wnes i."

Er nad oedd ganddi awydd mynd, eto mynd a wnaeth. Ofnai na fedrai wrthsefyll y demtasiwn a ddeuai i'w rhan petai hi'n aros. Er nas carai, rhwygiad oedd ei adael.

"Mi af â thi yn ôl i dy *digs.*"

Pan safodd y car wrth y drws cofleidiodd Gethin a'i gusanu.
"Diolch i ti am ddiwrnod hyfryd arall."
"Croeso."
Pan aeth y car o'r golwg gofidiodd am nad arhosodd. Druan o Gethin! Roedd o'n fachgen clên.
Ni welodd mohono byth wedyn.

§

Ar brynhawn olaf y tymor dathlwyd ei hymadawiad â pharti ffarwél yn yr ystafell gyffredin ar awgrym Jones German, y dirprwy brifathro. Gan fod yr ystafell yn rhy fach i ddal yr holl staff heb iddynt fod fel sardîns mewn tun, penderfynwyd tynnu eu henwau allan o het. Yfwyd coctêls, bwytawyd danteithion, a chafwyd araith ganmoliaethus gan y prifathro. Cyflwynwyd i Gwen gopi o *Cyn Oeri'r Gwaed* a gyhoeddwyd y flwyddyn cynt, wedi ei lofnodi gan bob aelod o'r staff a phrif ddisgybl yr ysgol a oedd newydd ennill ysgoloriaeth i Rydychen. Hogyn galluog oedd Barry Bridges a chanddo ddyfodol disglair. Amheuai Gwen ei fod yn orhoff ohoni, a chrynodd ei lais braidd wrth ddiolch iddi ar ran y disgyblion am ei holl ymdrechion ar ran y disgyblion. Yna dywedwyd gair gan Miss Richards, *head of French.*
Bu llawer o ysgwyd llaw, a phawb yn dymuno'n dda iddi. Daeth y parti i ben, a chydag ef bennod arall o'i bywyd.

Gorweddai yn y gwely yn darllen y gyfrol gyflwynedig cyn cysgu. Doedd dim rhyfedd yn y byd i'r Fedal Ryddiaith gael ei dyfarnu i'r awdur ifanc hwn yn Eisteddfod Genedlaethol Llanrwst.
Roedd yr ysgrifau'n llawn hiraeth a'r arddull yn amheuthun.
Cyrhaeddodd yr ysgrif 'Mudo' a darllen y brawddegau agoriadol:

> Flwyddyn yn ôl ni wyddwn i ddim am fudo. Yr oedd y gair yn ddigon i'm dychryn, yn enwedig am y byddai'n rhaid i mi'i roi mewn grym cyn bo hir. Yr oeddwn i dan yr argraff mai cybolfa erchyll oedd mudo, rhyw ddiwreiddio difaol

fel deg glanhau gwanwynol wedi'u gwasgu'n un. Ac am a wn i nad oeddwn i'n iawn.

Nid mudo a wnâi hi yn yr ystyr gyfyng o symud tŷ, ond er hynny "rhyw ddiwreiddio difaol" oedd gadael ysgol Aberwysg lle y buasai hi wrth ei bodd. Gadael tŷ a gadael ysgol — doedd fawr o wahaniaeth. Math o deulu mawr oedd ysgol, lle i ymgartrefu ynddo. Codi gwreiddiau fyddai symud o'r ysgol, hefyd, a byddai'n rhaid taro rhai newydd yn rhywle.

Ni bu'r tair blynedd hyn heb eu pryderon — ei charwriaeth dymhestlog a thrychinebus efo Bryan, yna ei chysylltiad amwys â Jones German, yr helynt ynglŷn â Mair, a'r difrod a wnaethai i Gethin. Yn y cyfamser roedd hi wedi prifio ac ni byddai fyth eto yr hyn ydoedd pan ddaeth i Aberwysg gyntaf. Ond fe fu hi'n athrawes lwyddiannus yn ei swydd gyntaf, ac ymfalchïai yn hynny.

Diwreiddio, ie, diwreiddio, ond doedd mo'r help. Hwyrach fod ei phenderfyniad i adael Aberwysg yn rhy fyrbwyll, ac mai ffwlbri oedd peidio â herio Mair Jones i wneud ei gwaethaf, a gresyn bod Jones yntau mor wan â rhoi sylw i fygythiad ei wraig niwrotig. Ond pwy oedd hi i farnu?

Pe bai ei gwaith ymchwil yn llwyddiannus, dichon y câi swydd coleg maes o law. Ond na; ni ddymunai hynny. Dysgu plant oedd ei galwedigaeth hi, eu helpu i ehangu eu gorwelion a'u dwyn i mewn i fyd chwaeth a dychymyg a gwybodaeth, ac nid dysgu gramadeg a mymryn o iaith estron yn unig. Doedd dysgu Ffrangeg a Chymraeg yn Aberwysg ddim bob amser yn waith i godi calon rhywun. Ond fe wnaeth ei gorau.

Cyfarfu â Jones German unwaith, a hynny ar ddamwain, cyn iddi ymadael. Meddai hwnnw wrthi:

"Wyt ti'n cofio geiriau Faust wrth ffarwelio â Gretchen yn y carchar? 'Gwelwn ein gilydd eto, ond nid yn y ddawns'."

Na, nid yn y ddawns.

Drannoeth daeth Joan i ganu'n iach iddi. Roedd hi wedi ymbincio a choluro'i gwefusau, peth hollol newydd i Joan. Arllwysodd Gwen wydraid o sieri a'i roi iddi. Sbiodd Joan arni braidd yn rhyfedd, meddyliodd.

"Mae'n ddrwg gen i 'mod i'n 'madel," meddai.

"A finne hefyd." Dododd Joan y gwydryn ar y bwrdd a nesáu ati. "Ti'n gweld," meddai, "dwi'n dy garu di. Fel mae dyn yn caru merch. Ddeudais i mo hyn wrthot ti o'r blaen, ond dwi mewn cariad â thi ers y tymor cyntaf i ti ddŵad yma. Ti'n dallt? Ond fase fo ddim wedi bod yn deg 'taswn i wedi dangos hynny ar y pryd. Ond alla i ddim peidio, rŵan, a tithe'n mynd i ffwrdd a phosibilrwydd na wela i monot ti byth eto. Fedra i ddim."

Fe'i cofleidiodd a'i chusanu'n wyllt a phatio'i hystlysau a'i chluniau. Glynodd wrthi a'i breichiau'n dynn amdani. O'r diwedd fe'i gollyngodd yn rhydd a beichiodd wylo.

Sbiodd Gwen arni'n syn. A oedd Joan yn lesbiad wedi'r cyfan? Dygodd i gof y gwyliau hynny yn Ardal y Llynnoedd a'r Alban pan gysgent gyda'i gilydd, a Joan yn closio ati â'i braich ar ei thraws a'i gwefusau ar ei gwddw. Ni ddaliodd Gwen sylw ar y peth ar y pryd; efallai mai breuddwyd rywiol oedd wedi'i chyffroi.

"Wyt ti ddim yn fy ngharu i?" gofynnodd Joan, braidd fel plentyn wedi cael ei dwrdio gan ei mam.

"Ydw, wrth gwrs 'mod i, ond Joan fach, nid fel yna. Ffrindie yden ni, nid cariadon."

"Llwyddais i fygu'r peth tan rŵan, er ei fod yn boen fawr i mi. Fynnwn i ddim i ti fynd i ffwrdd heb imi ddweud wrthot ti. Wn i ddim be wna i hebddot ti."

"Mae'n flin gen i, ond bydd raid i ti."

"Wnei di ddim anghofio amdana i?"

"Na wnaf, cariad. Sut y gallwn i, a ninne'n ffrindie?"

"Wna i fyth garu neb fel hyn. Mae'n dda nad es i i dy barti di. Mi faswn i wedi torri i lawr."

Cusanodd Gwen yn ysgafn. Druan o Joan! Tybed beth a ddeuai ohoni? Gobeithio nad âi hi i helynt efo rhyw eneth yn yr ysgol.

"Sgwenna ata i i mi gael gwbod sut wyt ti'n dŵad yn dy flaen."

Addawodd Gwen wneud hynny. Yna ymadawodd Joan.

Gethin, ac yn awr Joan. Ymddangosai mai ei ffawd hi oedd peri poen i bobl. Wel, onid oedd hithau wedi dioddef yn ogystal? Hogan go iawn oedd Joan. Byddai'n teimlo ei cholli.

Ond piti garw am ei chwant annaturiol — os annaturiol hefyd.
Er ei mwyn hi roedd yn dda o beth ei bod hi'n 'madel.
 Rhwng popeth . . .
 Mudo. Diwreiddio.

3

Ar ddechrau tymor yr hydref ymgymerodd Gwen â'i swydd newydd mewn ysgol i ferched mewn tref hynafol ar lannau Hafren ar ôl graddio yn M.A. a threulio chwe mis yn Strasbourg a Pharis yn gweithio ar ei gyfer. Roedd eisoes yn gyfarwydd â'r dref, ac fe'i hoffai'n fawr. Bu yno ambell waith adeg y sioe flodau a byddai wrth ei bodd yn cerdded drwy'r strydoedd cul a rhwng yr hen dai. Roedd y dref hon yn bur wahanol i Aberwysg y dref fawr ddiwydiannol gyda'i dociau, a'r craeniau'n codi fel ysgerbydau haearn ar lannau'r afon a lifai'n swrth drwyddi. Yma hefyd, fel yn Aberwysg, yr oedd cymdeithas Gymraeg, sef Cymdeithas Glyndŵr. Fe'i mynychai mor aml ag y medrai, ac yno y cyfarfu â Gruffydd Thomas. Gan mai'r gymdeithas hon oedd canolfan y Cymry Cymraeg mewn tref Seisnig, yno yr âi yntau ar y nosweithiau hynny pan fyddai'n rhydd, neu ar ôl oriau syrjeri.

Meddyg deuddeg ar hugain oed oedd Gruffydd, yn ddibriod, ac yn hoff o ddringo a sgio. Arferai fynd i'r Swistir ac Awstria i'w hymarfer pan oedd yn fyfyriwr, a chan fod ei dad yn llawfeddyg enwog a da ei fyd yn Lerpwl nid oedd prinder arian at y dibenion hynny. Chwaraeai rygbi dros y brifysgol gynt, ond bu'n rhaid iddo roi'r gorau iddi ar ôl rhai blynyddoedd oherwydd pwysau gwaith.

Ni allai Gwen ddirnad pa ragoriaethau o'i heiddo hi a ddenai Gruffydd. Ni fedrai ddringo na sgio, ac nid ymddiddorai mewn

72

unrhyw chwaraeon ar wahân i denis a chwaraeai yn lled dda. Beth bynnag, daeth hi'n amlwg cyn pen fawr o dro ei fod yn mwynhau ei chwmni oherwydd ei bywiogrwydd a'i deallusrwydd, ac wedi'r cyfan, meddyliodd, roedd hi'n weddol olygus, a dweud y lleiaf. ('Pert' fu gair Jones amdani.) Gobeithiai nad episod dros dro fyddai hwn fel ei charwriaeth wyllt efo Bryan. Gwell iddi fod yn wyliadwrus a pheidio â rhuthro i mewn i berthynas a allai droi yr un mor chwerw a dadrithiol.

Gŵr solet oedd Gruffydd, yn dreiddiol ei olwg a hanner-sgeptig ei drem, fel un nad oedd yn barod i dderbyn y peth cyntaf a ddywedid wrtho gan y cleifion yn ei syrjeri. Roedd o'n dawel a phwyllog, fel y gweddai i fynyddwr a meddyg, tybiai Gwen, ac roedd hi wrth ei bodd yn gwrando arno'n disgrifio'i gampau yn yr Alpau, megis y tro hwnnw ar yr Finsteraarhorn mewn storm drydan, pan ddawnsiodd gwreichion glas ar ei fwyell rew. Bu ond y dim iddo gael ei ladd, meddai, a brawychwyd hyd yn oed y tywysydd proffesiynol a'i harweiniai.

"Be wnewch chi dros y 'Dolig?" gofynnodd iddi wrth ei hebrwng adref o gyfarfod olaf Cymdeithas Glyndŵr am y flwyddyn.

"Mynd adre i Beniarth, debyg iawn. A chithe?"

"Aros yma. Y practis, chi'n gwbod. Ond mi wn i be wnawn ni. Beth am fynd allan am ginio Nadolig? Fedra i ddim meddwl am well ffordd o ddathlu'r Ŵyl. Mae'n rhaid cael tipyn o sbleddach ar ôl gofalu am gleifion drwy'r flwyddyn."

"Ac ar ôl trio pwnio Ffrangeg i mewn i bennau heidiau o ferched anfodlon."

"Dyna ni, 'te. Mi gawn ni ddathliad ar ben ein hunen bach."

Aeth â hi yn ôl i'w llety gan aros y tu allan i'r tŷ nes i Gwen deimlo'r oerni'n dechrau treiddio i'w hesgyrn. Math o brofiad *déjà vu* oedd hwn. Sawl gwaith y digwyddodd yn Aberwysg pan roes Bryan neu Jones German neu Gethin lifft iddi ac oedi i sgwrsio, yn union fel hyn? Hwyrach mai dyna oedd bywyd, sef hanes yn ei ailadrodd ei hun, a'r patrymau'n ymdebygu i'w gilydd, dim ond bod y cymeriadau'n newid.

Cysylltai â hi yn nes ymlaen, meddai Gruff, gan gychwyn ei gar.

"Hwyl!"

73

"Hwyl!"

Roedd hi eisoes wedi cwblhau ei hadroddiadau ar waith III A. Dim ond pentwr bach o ymarferiadau'r chweched dosbarth a fyddai'n sefyll Lefel A yn yr haf oedd ar ôl bellach. Gosodasai bapur anodd er mwyn profi cyrhaeddiad y merched — a byddai'n ei farcio'n weddol llym, pe bai rhaid. Nid adeg i'w disgyblion laesu dwylo oedd hwn.

Papur Gwyneth Parnell oedd y cyntaf, a diolch i'r drefn, roedd ei llawysgrifen yn glir a thaclus a'i chyfieithiad o'r *unseen* a'i sylwadau ar gerdd Lamartine, 'Le Lac', yn rhagorol. Haeddai 'A'. Roedd Gwyneth yn un o'r disgyblion mwyaf addawol yn y dosbarth. Linda Richardson oedd y nesaf. Gallai wneud yn well na hyn. Fe gâi hi B+. Muriel Woodward wedyn; anystwyth, braidd, oedd ei chyfieithiad hi o'r *unseen* — hwyrach ei bod wedi blino at y diwedd. Ond parhâi'r arholiad Lefel A am dair awr, a byddai'n rhaid iddi'i disgyblu'i hun yn well. B+ iddi hithau hefyd. Siomedig oedd gwaith Gwenda Hill. Doedd gwerthfawrogi barddoniaeth ddim yn dod yn hawdd iddi. Ond odid y dylai hi, Gwen, roi gwersi preifat iddi yn answyddogol. Marion Wilkinson nesaf. Ie, go lew. Sheena Macdonald; go lew oedd ei gwaith hithau, hefyd. Lydia Olszewski. Dihangodd ei thad o wlad Pwyl ym 1939 ac ymuno â'r RAF a chartrefu ym Mhrydain. 'A' iddi hi — geneth ddeallus iawn. Sharon Ward. Shirley Protheroe. Brenda O'Neill. Marcia Summerskill. Ac ymlaen. Criw go dda ar y cyfan. Doedd hi ddim mor siŵr am ambell un yn y dosbarth Lefel O, ond byddai'n rhaid iddynt basio mewn Ffrangeg, hyd yn oed os mai dim ond o drwch blewyn.

Torrodd Gwen dafell o gacen sinsir ac arllwys creision i mewn i ddysgl, rhoi siwgr arnynt, ac wedyn hufen o ben y botel lefrith. Dyma ei swper digyfnewid — os swper hefyd, neu yn hytrach rywbeth iddi i'w roi yn ei bol cyn mynd i gysgu.

§

Edrychai ymlaen bob gafael at weld Gruffydd. Profiad newydd oedd cael adnabod dringwr, ond nid hynny'n unig eithr

rhywun a anwyd ac a fagwyd yn Gymro glân gloyw yn Lerpwl.
Cymry brwd oedd ei rieni, Syr Lewis a Ledi Thomas, meddai, a
ofalai y câi ei fagu'n Gymro mewn dinas fawr Seisnig lle bu
llawer o Gymry Cymraeg yn byw gynt. Erbyn hyn roedd
Cymreictod yr ail a'r drydedd genhedlaeth a aned yn y ddinas
hon wedi ei lastwreiddio, a llawer o'r capeli wedi'u cau neu'r
cynulleidfaoedd wedi crebachu'n ddirfawr oddi ar yr adeg pan
oedd mwy o Gymry Cymraeg yn byw yn Lerpwl a Phenbedw
nag mewn unrhyw dref yng Nghymru. Er gwaethaf hynny,
meddai Gruff, roedd yn benderfynol y parhâi'r traddodiad cyn
belled ag oedd ef yn y cwestiwn, ac roedd hwn yn rhinwedd a
enillodd edmygedd Gwen. Ac yn y dref hon ar lannau Hafren a
oedd fel mynedfa i Gymru — onid oedd yno 'Bont i Gymru'?
— mawr oedd ei phleser o fedru ymgomio yn ei mamiaith, ac fe
gâi Gruff yntau'r un pleser, yn arbennig wrth ei rannu â hi.
Dridiau cyn y Nadolig galwodd amdani a mynd â hi i westy
gorau'r dref am ginio helaeth a thymhorol — cawl helgig, twrci
a thri math o lysiau, plwm pwdin a saws brandi, melysfwyd sieri,
a choffi. Dewisodd Gruff y gwin. Gofidiai, meddai, na fedrai
fynd i'r Alban i ddringo Ben Nevis neu'r Buchaille Etive Mor yn
yr eira. Buasai hynny'n sialens a hawliai ei fedrusrwydd i'r
eithaf. Oni fyddai hynny'n beryglus? gofynnodd Gwen.

"Byddai," atebodd, "ond dyna'r wefr, gorchgyfu anaw-
sterau. Ond gall Eryri fod bron yr un mor beryglus, hefyd.
Lladdwyd saith yno un flwyddyn, adeg y Pasg. Y penwythnos
hwnnw roedd hogiau ar ben yr Wyddfa mewn trowsusau byrion
fel tasen nhw'n disgwyl tywydd haf a nhwthe ar heic, ac yn
gorwedd ar lawr concrit y caban a'r eira'n chwythu i mewn.
Triodd ffŵl o ddyn groesi llechwedd craig serth dan rew heb
crampons ar ei 'sgidiau na bwyell rew. Cafodd ei ladd, a rhodd-
wyd bywydau'r criw achub mewn peryg wrth gario'r corff i
lawr. Roedd plentyn naw oed mewn 'sterics ar ôl gadael y trên
yng ngorsaf Clogwyn efo'i rieni, a hwythau'n ymddwyn fel taen
nhw'n mynd am dro bnawn Sul. Gwelodd un o'r mynyddwyr
profiadol y cwbl a'u gorfodi nhw i fynd yn eu holau'n syth bin.
Sgwennodd erthygl am yr holl ffwlbri ac fe'i cyhoeddwyd yn *Y
Cymro*. Saith marwolaeth mewn un penwythnos. Awgrymodd
rhywun y dylid codi ffens bigog o amgylch Eryri i gadw

ynfydion o Loegr draw. Mae mynyddwyr profiadol yn mynd yno i bractisio ar gyfer dringo yn yr Himalaya."

Arllwysodd ragor o win i'w gwydryn.

"Iechyd da!"

"Iechyd da!"

"*Slàinte math*! fel mae'r Gaelwyr yn ddweud . . . Mae gen i syniad reit dda," meddai wedyn.

"Dwi'n glustiau i gyd."

"Mi a' i â chi i Eryri yn ystod gwyliau'r Pasg a'ch dysgu chi i ddringo."

"Fedra i ddim dringo mwy na grisiau'r digs."

"Mi ddechreuwn ni ar esgyniade hawdd — ar Milestone Buttress Tryfan. Fan'na mae bron pawb yn dechre. Fydd 'na ddim eira ar hwnnw erbyn hynny, dim llawer beth bynnag. Beth amdani?"

"Dwi'n barod i ddysgu."

"Mater o ffydd ydi o."

"Ynoch chi?"

"Ie, ac ynoch ei hunan."

"Rydech chi'n hyderus iawn."

"Ydw, ac yn edrych ymlaen at dy hyfforddi di."

" 'Di'?"

"Pam lai? Mae tydïo'n llai ffurfiol."

Cydiodd yn ei llaw a'i gwasgu.

"I roi sêl bendith ar y tydïo," meddai, pan stopiodd y car y tu allan i'w llety, "mi gei di gusan. Reit?"

"Reit . . . Tyrd yn dy flaen."

Fe'i cusanodd yn ysgafn ar ei boch.

"Mi wneith hynna'r tro am 'rŵan," meddai hi.

"Ac yn nes ymlaen?"

"Cawn weld. Diolch i ti am noswaith ddifyr. A Nadolig Llawen."

Do, mi ddywedodd rywbeth tebyg o'r blaen wrth Jones German a Gethin, fel rhyw fformwla moesgar. Roedd pethau'n wahanol y tro hwn. Y tro nesa' . . . Ni ddeuai'r diwrnod hwnnw'n ddigon buan.

Drannoeth cyrhaeddodd y Trallwng a theithiodd am ddwy

filltir nes iddi weld y llidiart gyfarwydd a'r lôn yn arwain at
Beniarth. Roedd y tir dan haen o farrug ariannaid.

§

Gwelent gryn lawer ar ei gilydd yn ystod y gaeaf ac yna,
wythnos ar ôl y Pasg, cymerodd Gruff yr wythnos o wyliau
oedd yn ddyledus iddo, ac i ffwrdd â nhw i Eryri. Prynodd
Gwen esgidiau dringo, sanau a llodrau trwchus. Roedd Gruff
eisoes wedi trefnu llety ar eu cyfer, sef dwy ystafell mewn tŷ yng
Nghapel Curig. Byddai'n well cael lle cyfforddus i ymlacio ar eu
pennau'u hunain, meddai, nag aros yn hostel Ogwen neu Ben
Helyg a gorfod darparu eu bwyd eu hunain.

Yn ystod y prynhawn cerddasant cyn belled â Llyn Gwynant
ac yn ôl er mwyn cael Gwen mewn siâp go iawn, chwedl Gruff,
ac roedd hi'n barod am bryd o fwyd go helaeth ar ôl y tro hir. Er
ei bod hi'n flinedig, roedd wrth ei bodd.

" 'Fory," meddai Gruff, "mi awn i fyny'r Heather Terrace i
gopa Tryfan. Chware plant fydd hynny."

Safai ar y copa yn syllu dros y dibyn i'r cwm islaw. Er nad
oedd hi'n benysgafn, roedd hi'n ymwybodol o ryw fath o dynnu
ar ei stumog a chafodd ymdeimlad o fod eisiau ei thaflu ei hun
dros y dibyn. Ciliodd yn ôl braidd yn bryderus.

"Paid â phoeni," meddai Gruff i'w chysuro, "hwn 'di'r tro
cynta. Mi ddoi di drosto fo. Mi dynna i dy lun di'n sefyll rhwng
Adda ac Efa."

Aeth Gwen at y ddau faen unionsyth a thynnodd Gruff ei
llun.

Ar ôl oedi ar y copa er mwyn iddi gael ei gwynt ati, disgynas-
ant i Fwlch Tryfan ac yna sgramblo i fyny'r grib at y Glyder
Fach. Yno cawsant hoe fach i fwyta'u brechdanau ac yfed coffi
o'r fflasg thermos. Roedd Gwen yn falch o gael gorffwys gan
fod ei chalon yn pwnio ar ôl yr esgyniad, a'i bysedd wedi fferru
wrth afael yn y creigiau rhewllyd.

Coronwyd y copa gan feini mawr yn sefyll blith draphlith yn
hanner unionsyth fel pe'u gollyngwyd yno gan gawr, a chydag
un maen hir yn gorwedd ar eu traws fel to cromlech.

"Roedd Thomas Pennant yma ym 1772 neu '75," eglurodd Gruff. "Mae'n edrych yr un fath yn union, yn ôl y darlun ohono yn sefyll ar y garreg yna, y 'Cantilever', fel maen nhw'n ei galw hi."

Chwythai awel finiog dros y tir eiraog o gyfeiriad y Glyder Fawr a Chastell y Gwynt. Roedd hi'n rhy oer i ymdroi, a disgynasant i'r Bwlch ac ymlwybro i lawr at yr A5.

Cyn newid ei dillad gorweddodd Gwen ar wastad ei chefn ar lawr ei hystafell wely a theimlad nefolaidd ydoedd, er caleted y llawr. Ni fu'r dringo, neu'r sgramblo, yn anodd; y tro hir yn ôl i Gapel Curig ar hyd y ffordd fawr a'i gwnaeth yn flinedig, yn enwedig gan fod ei hesgidiau dringo yn gwasgu peth ar ei fferau. Ar y cyfan roedd hi mewn cyflwr go dda, dim ond bod y profiad mor newydd iddi, a hithau heb fod ar greigiau mor uchel â hyn erioed o'r blaen. Drannoeth fe fyddai'n rhy anystwyth i symud, ond, diolch i'r sanau trwchus, nid oedd ganddi chwysigod ar ei sodlau.

Awr yn ddiweddarach roedd hi'n barod am luniaeth ar ôl yr awyr iach oer a'i hymdrechion anarferol. Roedd gwahaniaeth mawr rhwng dringo'r creigiau hyn a chrwydro'r bryniau a'r ffriddoedd uwchlaw Peniarth.

Ar ôl swper o gawl, dau olwythyn mawr a llysiau, a thafell o darten afalau a chwstard, eisteddasant gyferbyn â'i gilydd wrth y tân siriol, Gruff yn smocio'i getyn a hithau'n pendwmpian yn y gwres, yn rhy swrth i symud.

Drannoeth treuliasant ddiwrnod caled ar y Carneddau. Roedd y llechweddau uchaf a gwastatir y copâu dan eira, a'r gwynt o'r gogledd yn eu chwipio'n ddidrugaredd. Wrth ddisgyn fe'u hamgylchynwyd gan niwl gwlyb ac oer, a chawsant beth anhawster i gyrraedd y briffordd. Roedd Gwen wedi hen arfer â niwl ar y ffriddoedd, ond tarth cas a gelyniaethus oedd hwn, a oedd fel petai'n eu rhybuddio i gadw draw o'r mynydd. Diolch am y tân croesawus yn tasgu yn y grât ar ôl yr oerfel treiddiol a'r lleithder hollamgylchynol; dymunol oedd ystwyrian o'i flaen a hithau mor ddedwydd â'r gath a oedd yn canu grwndi wrth ei thraed. Roedd hi eisoes yn hepian pan ddaeth Mrs Hughes i hulio'r bwrdd swper.

Wrth ymolchi yn y baddon poeth, amheuai Gwen nad hon oedd yr adeg orau o'r flwyddyn i gael ei chyflwyno i'r gamp o ddringo a mynydda. Yn ôl a ddywedodd Gruff gallai'r tywydd fod yn gyfnewidiol ac eithafol — eira neu law rhewllyd, a'r gwynt yn finiog fel cyllell. Y diwrnod hwnnw fe fu ymlafnio i fyny'r Carneddau yn beth straen, ac roedd y disgyn yn y niwl, pan orfu i Gruff ddefnyddio'i gwmpawd, yn brofiad brawychus, a'r awyr oer a llaith fel chwip ar ei hwyneb. Er gwaethaf y saim a daenodd drostynt, roedd ei hesgidiau'n wlyb domen a bu'n rhaid eu stwffio â phapur newydd er mwyn iddynt gael sychu yn y gegin dros nos. Roedd hi'n brafiach y diwrnod cynt a dim ond ychydig o eira ar Dryfan a'r ddringfa o'r Bwlch i'r Glyder Fach — dim ond taeniad ysgafn yma a thraw, a pheth yn llochesu yn yr holltau rhwng y creigiau.

Ond erbyn meddwl, roedd y fenter yn werth chweil ac yn ymarfer ragorol. Dichon na châi ei hun mewn anhawster pan dywysai Gruff hi. Fe wyddai ef pa mor bell y gallai hi fynd; fe ddylai wybod, ac yntau'n feddyg ac yn ddringwr profiadol. Er nad llipryn gwan mohoni (roedd hi wedi arfer helpu ar y fferm yn ystod y gwyliau er pan oedd hi'n ddim o beth), fe hawliodd y diwrnod cyntaf hwnnw ar Dryfan dipyn o ddycnwch ar ei rhan, a defnyddio cyhyrau anghyfarwydd. Parodd y creigiau oer i'w bysedd wynio, ac yna bu'n rhaid ymdrechu i'w throedio hi bob cam yn ôl i'r llety o'r Carneddau ar ôl tro hir a serth yn yr eira. Drannoeth byddai pob cyhyr yn ei chorff yn gwynio, ac roedd Gruff am iddi roi cynnig ar y Milestone. Gobeithio'n wir y byddai wedi ystwytho digon i hynny.

Golchodd ei choesau â'r trochion sebon ac arllwys y dŵr poeth cysurlon dros ei hysgwyddau. Y nefoedd fawr, roedd hi'n stiff! Ond roedd gorwedd rhwng y cynfasau ar wely cyfforddus fel cael ei chludo ar gwmwl hud a lledrith i wlad y tylwyth teg.

Drannoeth, ar ôl dwyawr o ymarfer ar y Bwtres Carreg Filltir roedd ei chyhyrau fel pe baent ar fin cracio a gollyngdod oedd gorffwys â'i chefn ar y clogwyn, serch yr oerfel.

"Mi wnest yn dda o ystyried mai dyma'r tro cynta," meddai

Gruff yn ganmoliaethus. "Tro nesa mi awn ni'n uwch, ac erbyn diwedd yr wythnos mi fyddi di'n barod i ddringo i'r brig ar esgyniad mwy anodd. Rwyt ti'n siapio'n dda, hogan."

§

Un diwrnod penderfynodd Gruff ddringo Bwtres Canol Tryfan ar ei ben ei hun a gadael Gwen i fynd i fyny'r Grib Ogleddol hebddo. Cropian neu sgramblo fyddai hynny, meddai, ac nid oedd yn serth ond yn hytrach yn esgyniad graddol. Gorffwysodd hi hanner ffordd i fyny'r esgair. Fel y dywedodd Gruff, roedd yn esgyniad hawdd. Islaw roedd Nant Ffrancon a Llyn Ogwen, a'r A5 fel ruban llwyd, a thu hwnt iddynt Ben yr Oleu Wen a'r Carneddau dan wisg o eira. Ar ôl cael ei gwynt ati, aeth yn ei blaen i'r copa. Doedd neb yno, a theimlai mor unig â phetai 'na'r un creadur byw arall yn y byd. Rhynnai yn yr oerfel a cheisio peth lloches rhag yr awel oer yn ymyl maen unionsyth Adda — neu hwyrach mai Efa ydoedd. Tynnodd ei fflasg thermos o'i rhychsach ac arllwys cwpanaid o de iddi'i hunan, gan gynhesu ei dwylo ar y cwpan plastig.

Maes o law gwelodd ben Gruffydd yn ymddangos dros fin y clogwyn. Aethant yn eu blaenau i fyny'r Bristly Ridge at gopa'r Glyder Fach am yr ail waith, ac yna at Gastell y Gwynt a disgyn wedyn ar hyd y Gribin a Llyn Bochlwyd at y briffordd.

Drannoeth aeth Gruff gyda dau gyfaill, Bill a Jim (ni wyddai Gwen eu cyfenwau) a oedd yn aros ym mwthyn Pen Helyg, i ddringo Craig yr Ysfa. Roedd hi'n falch o gael diwrnod i ddadflino a hamddena fel y mynnai heb orfod ymlafnio â chreigiau oer a bustachu dros dir anwastad dan eira. Er i Gruff ei chanmol am ei dycnwch a'i dyfalbarhad, disbyddid ei hegni bron yn llwyr ar ôl diwrnod ar y mynydd, tra oedd ei egni ef fel petai yn ddihysbydd. Doedd ganddi ddim syniad beth oedd ei deimladau tuag ati. Ar ôl swper, gyda'r hwyr, sgwrsient fel cyfeillion yn mwynhau hoe rhwng cyfnodau o waith. Ni fu dim sôn am garu na dyweddïo na dim byd felly, ac nid awgrymodd ef y dylent dreulio penwythnos mewn gwesty, fel y gwnaeth Bryan. Ac os oedd o o ddifri, tybed beth a feddyliai pe dywedai wrtho iddi golli ei gwyryfdod y noson honno yn y Gelli pan ildiodd i gnawdolrwydd anllad diymatal mewn storm o orffwylltra, a'i fwynhau i'r eithaf?

Crwydrodd ei meddyliau o'r naill beth i'r llall a phob tro cyniweiriodd y cwestiwn: beth oedd amcan Gruff? Ond doedd wiw iddi ei holi. Fyddai hynny ddim yn weddus.

§

Wedi brecwasta'n helaeth ac yn hwyrach nag arfer ar luniaeth rhagorol Mrs Hughes, nid oedd awydd mwy na thamaid arni am un o'r gloch. Cystal iddi fynd am dro a chael pryd go dda gyda'r hwyr wedi i Gruff gyrraedd yn ôl.

Rhoes ei hanorac amdani, sgarff wlân am ei gwddf a chap gwlân am ei phen a chychwyn ar yr A5 i gyfeiriad Betws-y-coed, gan oedi wrth y rhaeadrau a'u gwylio'n rhuo'n ewynnog drwy'r ceunant yn eu llawn hynt a'r manddwr yn chwistrellu drosti fel smwclaw. Yna ymlaen â hi i'r pentref.

Aeth i mewn i gaffi gwag ac archebu potaid o de, sgons a jam. Cynheuodd sigarét. Doedd fawr o fynd ar y lle yr adeg hon o'r flwyddyn; roedd mwyafrif yr ymwelwyr wedi mynd adref. Daeth y ferch â'r te a'r sgons a darn o gacen a'u gosod ar y bwrdd o'i blaen yn ddifater. Slempiodd y te drwy big y tebot ar y bwrdd teils. Roedd y ferch yn ddrwg ei hwyl am ryw reswm, hwyrach am fod ei chariad wedi rhoi'r gorau iddi, neu am ei bod hi'n casáu'r gwaith.

Hwn oedd yr ail dro iddi deimlo'n unig. Byddai wedi mwynhau ei thipyn te yn fwy pe bai Gruff gyda hi, a pharodd hynny beth aflonyddwch iddi. Ni wyddai paham y daethai â hi i Eryri. Ai fel cariad iddo? Os felly, pam nad amlygodd hynny? Roedd hi hefyd yn pryderu am ei ddiogelwch. Gallai rhywun lithro, yn enwedig ar dywydd gaeafol, pan fyddai rhew ar y creigiau. Byddai'n dawelach ei meddwl wedi i Gruff gyrraedd y llety'n ddianaf. Roedd rhywbeth arall yn ei phoeni hefyd. Pe bwriadai Gruff ofyn iddi ei briodi — a bwrw eu bod yn caru ei gilydd — ni wyddai beth fyddai ei hateb. Yn un peth, ni fynnai roi'r gorau i ddysgu; dyna oedd ei gyrfa, a doedd hi ddim wedi treulio blwyddyn gyfan yn yr ysgol eto. Ond yn fwy na hynny, a fyddai hi'n deg ag ef pe celai rhagddo'r ffaith nad oedd hi'n wyryf, er bod tair blynedd oddi ar iddi dreulio'r noson orffwyll honno efo Bryan? Roedd yn amlwg nad oedd Gruff yn un i ddangos ei deimladau. Dichon ei fod lawn mor bwyllog fel carwr ag ydoedd fel meddyg ac fel mynyddwr. Chwedl yntau, rhaid oedd ystyried pob symudiad yn fanwl wrth ddringo. Os felly, doedd dim rhyfedd iddo wylio pob cam yn ofalus.

Oedd, roedd hi'n unig yn y caffi gwag, a hefyd yn bryderus, nid yn unig am Gruff ond amdani'i hunan yn ogystal. Dyheai am gael ei weld, a hwyrach doedd 'na ddim gwahaniaeth rhwng dyheu a charu.

Holodd y weinyddes am amser y bysiau i Gapel Curig. Byddai un yn ymadael mewn pum munud ar hugain, meddai. Gwagiodd Gwen y tebot a dal i eistedd yn ei hunfan yn smocio'r naill sigarét ar ôl y llall i ladd amser, er na byddai'n arfer gwneud hynny.

Talodd y bil a gadael cildwrn ar y plât i'r ferch. Hwyrach y gwnâi hynny ei sirioli.

Nid oedd Gruff wedi dychwelyd pan gyrhaeddodd Gwen y llety lle'r oedd arogl stecyn eidion a nionod yn ffrïo yn llenwi'r tŷ. Gwyddai Mrs Hughes o'r gorau faint y gallai dynion ifainc ei fwyta ar ôl diwrnod o ddringo.

Dynes fach fochgoch, garedig oedd Mrs Hughes, yn wraig weddw a letyai ymwelwyr yn ystod y gwanwyn a'r haf. Gwely a brecwast am noson neu ddwy oedd ei angen ar y mwyafrif, ond arhosai rhai am wythnos, i ddringo neu gerdded. Amheuai Gwen nad oedd ei helw'n fawr, o ystyried helaethrwydd y lluniaeth a roddai i'w gwesteion. Chwarelwr oedd ei gŵr, meddai, a fu farw bymtheng mlynedd ynghynt ar ôl dioddef yn hir o glefyd y llwch. Nid y coliars yn unig a ddioddefai o'r silicosis, haerai, er mai nhw a gâi'r holl gyhoeddusrwydd. Ychydig o waith oedd yn y chwaral erbyn hyn.

"Petha wedi gwaethygu ers y rhyfel. Ond pan oeddan ni'n byw yn 'Pesda roedd yna ddigon o waith. Dwn i ddim be maen nhw'n neud rŵan . . . Roedd gynnon ni dipyn bach o dir ac yn cadw dwsin o ieir, ac roedd hynny'n help i ddwyn dau ben llinyn ynghyd, wyddoch chi. Doedd hi byth 'run fath ar ôl streic fawr 1903, meddan nhw, ond mi âth y gwaith ymlaen nes y dechreuwyd mewnforio teils o Ffrainc a Gwlad Belg am eu bod nhw'n rhatach. Doedd neb isio llechi ar ôl hynny, er eu bod nhw'n para'n hwy. Âth y mab i Lerpwl i weithio, ond does 'na fawr o raen ar y fan honno, 'chwaith, yn ôl y sôn; y docwyr yn streicio byth a hefyd am fwy a mwy o gyflog, wyddoch chi. Felly maen nhw'n deud, beth bynnag. Dwi yma ers deng mlynedd yn cadw tŷ i dwristiaid, ac yn well fy myd fan hyn nag yn 'Pesda . . . Wel, dyna fy hanas i, Miss Tomos . . . Meddyg ydi'ch ffrind, aie?"

"Ie. Mi rydw i'n athrawes."

"Ydach chi wedi dyweddïo?"

"Nac yden, ddim eto, beth bynnag."

"Maddeuwch i mi am ofyn. Dwi ddim isio swnio'n hy."

"Popeth yn iawn, Mrs Hughes."

"Mae o'n ddyn clên."

"Ydi, siŵr. Yn gweithio'n galed. Isio tipyn o egwyl oedd o."

"Oedd, debyg iawn."

Bu saib am ennyd.

"Ryden ni'n gyfforddus iawn yma," meddai Gwen wedyn, gan ei bod hi'n amlwg nad oedd Mrs Hughes ar frys. Cymerodd Gwen yn ganiataol fod y bwyd yn cadw'n gynnes yn y popty nes y deuai Gruff yn ôl.

"Dwi'n gneud 'y ngora dros fy ymwelwyr. Mae rhai'n dŵad yn eu hola flwyddyn ar ôl blwyddyn. Mae'n well ganddyn nhw aros efo fi nag mewn gwesty. Yn fwy cartrefol, meddan nhw."

"Dwi'n siŵr eu bod nhw'n iawn."

Arhosodd car y tu allan i'r tŷ, a chlywyd clep ar y drws a lleisiau'n ffarwelio.

"Dyma nhw wedi cyrraedd," ebe Mrs Hughes, gan godi. "Swper amdani rŵan 'te."

"Bydd Dr Thomas yn barod amdano. A finne hefyd . . . Rwyt ti'n hwyr," meddai pan ddaeth Gruff i mewn a thynnu'i esgidiau. "Ro'n i'n dechre pryderu amdanat ti."

"Doedd dim rhaid i ti."

"Na, ond . . ."

"Ond be?"

"O, na hidia."

"Ryden ni'n ddringwyr profiadol."

"Ydech, debyg iawn, ond mi all damweiniau ddigwydd hyd yn oed i ddringwyr profiadol."

"Ddim i ni . . . Wel, dwi am gael bath rŵan os oes 'na ddigon o ddŵr poeth. Dwi'n oer a bron â chlemio."

Roedd y bwrdd wedi'i glirio a hwythau'n ymlacio ar ôl pryd o fwyd helaeth a blasus, a Gruff yn smocio'i getyn.

"Mi ges i sgwrs fach reit ddiddorol efo Mrs Hughes cyn i ti gyrraedd," ebe Gwen, "a thipyn o'i hanes . . . Mi holodd amdanon ni. Na, doedd hi ddim yn fusneslyd. Dim ond gofyn a oedden ni wedi dyweddïo."

Tynnodd Gruff ei getyn o'i geg a chwerthin.

"Be ddudest ti?"

"Doedden ni ddim — eto. Ella mai llithriad oedd yr 'eto'."

"Llithriad? Pam? A gawn ni?"

"A gawn ni be?"

"Ddyweddïo . . . a phriodi, wrth gwrs."

"Dwyt ti ddim wedi gofyn i mi."

"Dwi'n gofyn i ti rŵan."

Ei thro hi oedd chwerthin yn awr.

"Be sy o'i le ar hynny?" gofynnodd Gruff, braidd yn swta.

"Wel, dwyt ti ddim yn gorwynt o garwr, a deud y lleia, yn 'sgubo rhywun oddi ar ei thraed. 'Ddylies i 'rioed y gallai cynnig i briodi fod yn beth mor ddiramant — yn glinigol, bron, fel taset ti'n fy holi ynglŷn â phoen yn 'y mol neu rywbeth. A hynny rhwng dau bwffiad ar dy getyn."

"Be ti'n ddisgwyl i mi neud? Mynd ar 'y mhengliniau ac ymbil arnat: 'Miss Tomos, a fyddwch chi'n wraig i mi?' fel 'sen nhw'n gneud mewn nofel o oes Fictoria?"

"Nage, 'tad, dim byd felly, y ffŵl gwirion i ti. Ond . . . wel . . . mi fuost ti mor *prosaic* a diddychymyg, heb ddim rhagarweiniad cariadus na chusanu nwydus na chofleidio, na dim blydi oll, dim ond eistedd gogyfer â fi a smocio dy getyn, fel taset ti ddim yn malio'r un ffeuen be ddwedwn i. Os oes teimlade angerddol, cryf, yn dy gorddi di, mi lwyddaist i'w cuddio nhw'n ardderchog. Taset ti wedi trio 'nhreisio i a 'ngharrio i i'r gwely yn nwydwyllt, mi fase hynny'n well."

"Rwyt ti'n tynnu 'nghoes i."

"Ella 'mod i, ond dwi'n deud llawer o wir."

Tynnodd Gruff ei getyn o'i geg drachefn.

"Wel, wnei di?"

"Wna i be?"

" 'Mhriodi i."

"Wnest ti ddim crybwyll y peth tan heno."

"Mae 'na dro cynta i bopeth . . . Mi welson ni lawer ar ein gilydd, yn do? Pam 'ddyliest ti 'mod i wedi awgrymu'n bod ni'n dŵad yma am wythnos?"

"Ond 'ddudest ti'r un gair dy fod ti'n 'y ngharu i, na gofyn i mi a oeddwn i'n dy garu di."

"Rwdlan wyt ti. Wyt ti'n meddwl y baswn i'n gofyn i ti 'mhriodi i os nad o'n i'n dy garu di? . . . Oes rhywbeth yn dy boeni di?"

"Oes, mae 'na, ond fedra i ddim deud wrthot ti be ydi o rŵan. Rywbryd eto, ella. Dwi'n rhy flinedig o lawer . . . Fedra i ddim rhoi ateb i ti ar hyn o bryd."

"Cer i gysgu, 'te, i ti gael bod yn barod i wynebu'r Milestone fory."

Y Milestone? Roedd hi wedi anghofio'n llwyr am hwnnw.

Cofleidiodd Gruff hi a'i chusanu, a chydiodd hithau ynddo'n dynn.

"Aros di am funud bach," meddai, a mynd â hi at y soffa. "Mae 'na fwy o le fan yma nag ar y gader freichie."

Fe'i tynnodd i lawr ato gan fygu'i chwerthin a'i chusanu'n eiddgar, ei ddwylo'n crwydro dros ei chorff.

"Mae'n ddrwg gen i imi fod mor biwis," meddai hi pan y'i gollyngodd.

"Does dim rhaid. Popeth yn iawn."

Aeth Gwen i'r llofft yn ddedwyddach ond nid yn hollol ddibryder, er hynny. Fe fyddai 'na broblemau i'w datrys ac anawsterau i'w gorchfygu. Ond roedd y rhew wedi toddi a Gruff wedi dangos o'r diwedd ei fod yn medru caru.

Weddill yr wythnos honno roedd Gwen wrth ei bodd, a chyffrous oedd y wers ar un o'r dringfeydd anodd ar y Bwtres. Fe fyddai hi'n ddringwr da, meddai Gruff. Roedd hi wedi cymryd at y creigiau fel hwyaden at ddŵr. Safent drachefn ar gopa gwastad Tryfan — a oedd erbyn hyn fel hen ffrind — eu cefnau yn erbyn Adda neu Efa a'u breichiau amdanynt ei gilydd i gadw'n gynnes. Gwyniai dwylo Gwen gan oerni wedi iddi fod yn gafael yn y graig. Drannoeth, meddai Gruff, i goroni'r wythnos, 'gwnaent' y Snowdon Horseshoe os na byddai gormod o eira ar y Grib Goch a'r Wyddfa.

Diflanasai pryderon y noswaith cynt. Ond odid iddi wneud môr a mynydd ohonynt — ond nid heb achos. Er bod y problemau'n aros, llwyddodd i'w bwrw o'r neilltu am y tro a mwynhau'r berthynas gynhesach a oedd rhyngddi hi a Gruff. Doedd o ddim yn deip dideimlad, digyffro, wedi'r cyfan; hi oedd wedi disgwyl gormod ganddo. Doedd o ddim fel rhaeadr bas yn byrlymu dros glogfeini, eithr yn hytrach fel afon dawel, ddofn, yn llifo'n araf a di-stŵr.

Yn ystod y nos ac yn oriau mân y bore bu'n bwrw eira'n drwm, ac ym marn Gruff byddai'n rhy beryglus i fentro ar y Grib Goch a thros y Pinaclau ac ar hyd min Crib y Ddysgl, hyd yn oed dan ei arweiniad ef. Ffoniai Pen-y-pàs i archebu cinio am un o'r gloch. Byddai'n rhaid bodloni ar yr olygfa yn unig.

Tywynnai'r haul mewn awyr glir, las a digwmwl pan gychwynasant ar hyd y briffordd. Nid oedd yr eira'n neilltuol o ddwfn ar y ffordd; llwyddodd moduron a lorïau a chynhesrwydd cynyddol yr haul i'w doddi. Er bod y tirlun yn wyn ac yn foel, roedd blas y gwanwyn yn yr awyr a golwg Alpaidd, rywsut, ar yr Wyddfa a'r grib hir.

"I fyny fan acw hoffwn i fod," meddai Gruff, "ond does mo'r help."

"Pam nad est ti ar dy ben dy hun, neu efo Jim a Bill?"

"Doeddwn i ddim am d'adael di ar ein diwrnod ola. Paid â phoeni. Mi gawn ni gyfle eto."

Bu distawrwydd rhyngddynt am sbel. Yna meddai Gruff yn ffug-goeglyd:

"Wn i ddim a wyt ti'n cofio, ond mi ofynnais i ti 'mhriodi i. Dwi'n gofyn i ti eto rŵan."

"Wrth gwrs 'mod i'n cofio. Dydi 'ngho i ddim cynddrwg â hynny."

"Wel, beth amdani?"

"Mi ydw i isio amser i gysidro. Mae 'na rai pethau i'w hystyried."

"Oes, siŵr o fod. Er enghraifft?"

"Yn un peth, dwi ddim isio rhoi'r gore i ddysgu ar ôl dim ond pedair blynedd, a llai na blwyddyn yn yr ysgol lle'r ydw i rŵan. Dwi'n *mwynhau* dysgu, ti'n dallt — er bod hynna'n swnio'n dwp i rai pobl — fel rwyt tithe'n mwynhau bod yn feddyg. Dyna 'ngalwedigaeth i. Fydd dim rhaid i *ti* roi dim byd i fyny, ond mi fydd yn rhaid i *mi*. A wnâi hi mo'r tro i wraig meddyg ddal ymlaen i weithio. Base hynny'n sarhad ar y proffesiwn, a dwi'n siŵr y byddai gwragedd meddygon erill yn edrych i lawr eu trwynau arna i. A be wnawn i drwy'r dydd ar fy mhen fy hun? *Mae* 'na broblemau, ti'n gweld."

"Oes . . . Dwi ddim yn awgrymu ein bod ni'n priodi ar unwaith."

"Am ba hyd y baset ti'n fodlon aros?"

"Dwn i ddim. Feddyliais i ddim am y peth."

"Wel, 'te, rho amser i mi feddwl. Ofynnaist ti ddim i mi a ydw i'n dy garu di. A ddudest ti ddim dy fod ti'n 'y ngharu i, 'chwaith."

"Y twpsyn gwirion i ti! 'Ddylies i echnos fod hynny'n amlwg i'r mwya' hurt. A tithe? Wyt ti'n fy ngharu i?"

"Ydw . . . ond nid yn orffwyll. Mi ddigwyddodd hynny i mi unwaith, ac mi fues i'n difaru byth er hynny."

"Be ddigwyddodd?"

"O, na hidia. Mae'n hen hanes bellach ac wedi'i gladdu. Dydi o ddim o bwys rŵan, p'run bynnag. Mae pethau fel'na'n digwydd i rywun; mi ddigwyddodd i tithe hefyd, debyg iawn."

"Do, un waith."

"Wel, dyna ni, 'te. Dwi ddim am siarad am y peth. Mae o drosodd, yn farw gelain."

"Ond Gwen annwyl, mae arna i dy isio di, yn fwy na dim byd arall yn y byd. Dwyt ti ddim yn dallt?"

"Ydw, wrth gwrs 'mod i. Ond paid â deud wrtha i na fedri di fyw hebdda i ac y bydd bywyd yn ddiystyr a gwag 'tawn i'n deud 'na'."

"Paid â smalio. Dwi o ddifri."

"Wyt, a finne hefyd. Felly rho amser i mi."

"O'r gore."

Do, meddyliodd, mi fu'n wythnos ardderchog, er nad yn hollol ddigwmwl fel copa'r Wyddfa yn erbyn yr awyr las. Ond mae clogwyni Lliwedd yn dywyll a bygythiol. Hwyrach fod hynny'n ddrwgargoel!

Aethant i mewn i'r gwesty a syllu ar y darluniau o'r dringwyr enwog a fu'n cychwyn oddi yno ar hyd y blynyddoedd.

§

Yr hyn nad edrychai Gwen ymlaen ato yn anad dim oedd y diwrnod pan fyddai'n rhaid iddi roi ateb i Gruff. Soniodd o ddim rhagor wrthi am briodi ar ôl y tro hwnnw yn Eryri; ond hwyrach na fynnai ei chlywed yn dweud eto nad oedd wedi cael digon o amser i ystyried. Ni fedrai ymysgwyd â baich ei chyfyng-gyngor, a ryw ddydd byddai'n rhaid ei wynebu'n derfynol. Ofnai y diwrnod hwnnw, ond roedd yn anochel. "Y dydd, diogel y daw", ys dywedodd Goronwy Owen. Fe ddeuai; doedd dim yn sicrach na hynny. Ni welsent ei gilydd er pan ddychwelasant o Eryri tan bythefnos ar ôl dechrau tymor yr haf. Yna awgrymodd Gruff eu bod yn mynd yn ei gar i rywle na fuont ers talwm. Penderfynasant gan hynny fynd i'r Pistyll ar ddydd Sadwrn braf, ac yno yr aethant a cherdded i lawr y llwybr a thros y slabiau llaith at y bompren yn y gwaelod. Ar ôl glawogydd ac eira'r gwanwyn taranai yn ei lawnder i'r pwll islaw gan wasgaru diferion o ddŵr mân fel tarth. Cydiodd Gruff ynddi gerfydd ei gwasg tra safent yno ochr yn ochr yn gwylio'r golofn ewynnog yn disgyn dros ymyl y dibyn tywyll fel cynffon caseg wen.

"Wel," gofynnodd Gruff, "wyt ti am roi ateb i mi?"

"Mi awn ni am dro i fyny Cwm Cader ac mi gei di d'ateb."

Aethant yn y car cyn belled â llidiart y mynydd, ac yna'i adael ar lain o laswellt ar fin y ffordd a cherdded fraich ym mraich ar hyd y llwybr i gyfeiriad y Gader.

"Peth cas ydi gosod amodau wrth sôn am briodi," meddai hi, "a charwn i ddim byd mwy na bod yn wraig i ti — os nad ydi hyn'na'n swnio'n oeraidd — ond mae 'na ddau beth."

"Wel?"

"Yn gynta, fel y dwedes i o'r blaen, hoffwn i ddim gorfod rhoi'r gore i ddysgu, yn enwedig ar ôl bod llai na blwyddyn yn yr ysgol yma. Fase hynny ddim yn deg; mae newid athrawon yn aml yn ansefydlogi plant, 'wsti. Wyddan nhw ddim ble maen nhw, yn arbennig plant y pumed a'r chweched dosbarth sy'n gneud Lefel O a Lefel A. Sgwn i a fyddet ti isio gadael dy bractis ar ôl blwyddyn?"

"Na fyddwn."

"Wel, dyna ni. Dydw inne ddim am roi'r gore i 'ngwaith 'chwaith."

"Am ba hyd y byddet ti isio dal ymlaen? Am flwyddyn?"

"Dwn i ddim yn iawn; am flwyddyn o leiaf. Dwi am gario 'mlaen ar ôl priodi. Mi wn i nad ydi peth fel yna'n arferol ymhlith meddygon — eu gwragedd yn dal ymlaen i weithio fel tase hi'n anodd dwyn dau ben llinyn ynghyd heb eu cyflog nhw. Fyddi di'n fodlon i mi wneud hynny? Cofia, mi soniais am hyn wrthat ti o'r blaen."

"Do, ac mi fues inne'n meddwl am y peth. Dydi o ddim yn rhwystr anorchfygol. Mae gwraig un o 'mhartneriaid i yn parhau i weithio fel radiolegydd rhan amser. Be 'di'r ail beth?"

Petrusodd Gwen cyn ateb.

"Mae hyn yn boenus ofnadwy i mi, ond rhaid i mi fod yn onest efo ti yn hytrach na dy dwyllo di a chadw cyfrinach oddi wrthat ti. Ella na fyddi di isio 'mhriodi i ar ôl clywed hyn."

"Wel, allan â fo. Be ydi o?"

"Paid â chael sioc . . . Dwi ddim yn wyry."

Gollyngodd Gruff ei braich a sefyll yn stond.

"Wyt ti o ddifri?"

"Ydw, gwaetha'r modd. Ond os nad wyt ti am 'y mhriodi i rŵan, does mo'r help. Dywed wrtha i yn blaen. Wna i mo dy feio di. Wn i ddim be ydi dy syniadau am ryw, ond os nad wyt ti'n fodlon i mi fod yn wraig i ti a minnau'n *damaged goods* ail-law, rhaid i mi dderbyn dy benderfyniad a dyna ddiwedd arni."

"Awn ni'n ôl i'r car i siarad."

Troesant a dychwelyd at y ffordd. Ni ddywedodd Gruff air nes iddynt gyrraedd y car.

"Gwell i ti ddeud yr hanes wrtha i," meddai.

Ac fe wnaeth hithau hynny heb gelu dim.

"Mae'r cyfan drosodd ers pedair blynedd bellach. Mor farw â hoelen. Ond dydi hynny'n newid dim mymryn ar y ffeithiau. Mi ddigwyddodd."

"Ble mae'r dyn rŵan?"

" 'Sgin i ddim syniad. Cyn belled ag yr ydw i yn y cwestiwn, gall fod yn farw, neu yn Awstralia, neu unrhyw le. Dwn i ddim. A dwi dim *am* wybod. Byth oddi ar hynny dwi wedi ymwrthod â phob temtasiwn i gael cyfathrach rywiol. Bu dau ddyn mewn cariad â fi ond chawson nhw ddim ymateb gen i; wnes i ddim ond mynd allan i ginio efo nhw rŵan ac yn y man, a phethe felly. Roedd un ohonyn nhw'n athro ar y staff yn Aberwysg — yn ddirprwy brifathro, a dweud y gwir. Roedd ganddo wraig oer a niwrotig, ac roedd arno isio cysur, dim mwy na hynny. Wrth ei gysuro — os mai dyna wnes i — ro'n i fel tawn i'n dial ar y dyn a gefnodd arna i. Mae'r peth wedi marw erbyn hyn, coelia di fi, ond does 'na ddim newid ffeithiau. Mi ddigwyddodd, ac mae'r cof amdano'n rhan ohona i. Do, mi gollais fy ngwyryfdod y noson honno, a hynny o'm gwirfodd. Nid cael 'y nhreisio wnes i. A bod yn frwnt, mae'n debyg na fyddi di am i fi fod yn wraig iti a minne wedi cnuchio efo dyn arall, dim ots pryd y digwyddodd na 'chwaith mai dyna'r unig dro."

Cychwynnodd Gruff y car.

"Rhaid i mi gael amser i feddwl am y peth," meddai.

"Dyna ddudes *i* wrthot *ti*, ynte? Mi *gei* di amser, faint fynni di. Ond paid â'm barnu'n llym. Os na fyddi di am 'y mhriodi i ar ôl hyn, does dim amdani. Wna i ddim edliw i ti. Mi fydda i'n dallt."

Prin y medrai Gwen atal y dagrau, a chrynai ei llais. Tawodd cyn iddi dorri i lawr ac wylo. Er mwyn cuddio'i thrueni cyneuodd sigarét. Na, doedd dim y gallai hi ei ddweud na'i wneud rŵan. Dim. Fo oedd i benderfynu. Bu ei chyffes yn rhyddhad i raddau — beth bynnag fyddai'r canlyniad, roedd hi wedi cael gwared o'r baich a bwysai arni.

Ni sylwai ar y tynerwch gwyrdd a wisgai'r coed a'r gwrychoedd. Ni welai ddim ond y ffordd o'i blaen, a honno'n aneglur oblegid y dagrau na fedrai hi mo'u mygu, er ei gwaethaf.

Roedd ei llygaid fel sgrîn wynt car modur a'r sychydd yn 'cau gweithio.

Ni ddywedodd Gruff yr un gair nes iddynt gyrraedd Croesoswallt.

"Awn ni i rywle am 'baned," meddai. "Rwyt ti'n edrych fel 'taet ti angen un."

"Rwyt tithe'n edrych yn ddigon ypsét, hefyd."

Atebodd o ddim. Ni fentrai hi ddyfalu ei feddyliau. Petai o wedi dweud yn y fan a'r lle na fyddai dim dyweddïo na phriodi, fe fuasai'n ollyngdod iddi. Os oedd o eisoes wedi penderfynu beth a wnâi, gobeithio y câi hithau wybod yn ddiymdroi — ni fedrai ddioddef straen anwybodaeth. Yn gam neu'n gymwys fe fu hi'n onest, waeth beth fyddai'r canlyniadau. Roedd hi'n siŵr o un peth; cawsai ei dwysbigo'n barhaus pe buasai wedi twyllo Gruff, a thwyll fuasai peidio dweud y gwir amdani'i hunan. Ni fyddai fyth wedi gallu maddau iddi'i hun petai wedi gadael iddo barhau i gredu ei bod hi'n wyryf. Braidd na sylwodd fod y weinyddes wedi dodi tebot a phlataid o deisenni a bisgedi o'u blaen.

"Estyn ato," meddai Gruff.

Tywalltodd hi'r te yn ddifater. Doedd ganddi ddim awydd bwyd o unrhyw fath ond gorfododd ei hun i gymryd teisen blaen. Teimlai fel cymeriad mewn nofel sentimental, yn ferch wedi'i dal rhwng gefynnau yn disgwyl i'w chariad faddau iddi am ei "phechod", ac yn cael ei synnu wrth i hwnnw ysgubo'r peth o'r neilltu gan ddweud bod pob gwir gariad yn anwybyddu cyfeiliornad a'i fod yn drech na phob tramgwydd. Ond bywyd oedd hwn, nid nofel. Gwenodd yn egwan pan ddywedodd Gruff nad oedd raid iddynt edrych fel cwpwl a oedd wedi ffraeo a phwdu â'i gilydd. Ond haws dweud na gwneud. Pigodd ei bwyd fel drudwen yn pigo gweddillion cig oddi ar asgwrn a luchiwyd ar y lawnt. Buasai'n well ganddi fod wedi dychwelyd adref yn syth bin heb iddynt orfod wynebu ei gilydd yn fud dros fwrdd caffi. Rhwygodd y papur oddi ar fisgedyn siocled Kitkat a'i dorri. Cystal iddi fwyta'i siâr — byddai'n rhaid talu amdano, beth bynnag.

Wrth wau eu ffordd at y maes parcio drwy'r dyrfa Sadyrnol sylwodd Gwen ar y mynych leisiau Cymreig. Gellid tybio mai

91

tref Gymreig oedd hon, a dyna oedd hi, bron, ar ddydd marchnad a phrynhawn dydd Sadwrn pan dyrrai pobl o du hwnt i Glawdd Offa i siopa at y penwythnos.

Cusanodd Gruff hi pan gyraeddasant ei llety.

"Gwelwn ein gilydd eto," meddai.

Ni wyddai hi a oedd y geiriau'n arwyddocaol ai peidio. Ond beth bynnag a olygent, ni swnient fel pe bai'r drws wedi'i gau yn derfynol. Ond byddai'r dyddiau nesaf — tra disgwyliai ateb Gruff — yn rhai pryderus tu hwnt. Weithiau, cyn mynd i gysgu, a gorchwylion y dydd wedi dod i ben, teimlai fel sgrechian a'i rhwygo'i hun yn gyrbibion.

Ganol yr wythnos, a hithau'n darparu gwersi ar gyfer trannoeth, canodd cloch drws y ffrynt.

"Rhywun i'ch gweld chi," meddai ei lletywraig. Daeth Gruff i mewn i'r ystafell, yn edrych fel pe na chawsai lawer o gwsg. Syllodd Gwen arno'n bryderus.

"Am y trydydd tro, neu'r pedwerydd, am a wn i, dwi'n gofyn i ti fy mhriodi i," meddai.

Rhythodd Gwen arno'n syn.

"A finne wedi deud wrthat ti . . ."

"Do, mi ddudest ti wrtha i. Ond ro'n i'n dy garu di cyn hynny a dwi'n dal i dy garu di. Dwyt ti ddim wedi newid, a dwi'n dy edmygu di am fod mor onest."

"Sut amgen y gallwn i fod?"

"Mi allset ti fod wedi cuddio'r peth oddi wrtha i . . . Wel, wnei di?"

"Wrth gwrs . . . ond beth am yr ysgol?"

"Mi gei di ddal ymlaen i ddysgu."

"A'th bartneriaid?"

"Does a wnelo hyn ddim â nhw. Mi ddudes i wrthot ti fod gwraig un ohonyn nhw'n gweithio fel radiolegydd."

"Mae hynny'n wahanol. Mae'n perthyn i fyd meddygaeth. Mae ein statws ni fel athrawon yn is."

"Lol botes. Rydech chi'r un mor bwysig."

"Mae'n dda clywed hynny."

"Rwyt ti bron cyn daled â fi," meddai Gruff gan ei chodi ar ei thraed a'i chusanu. "Dyna pam rwyt ti'n dringo mor dda."

92

"Pum troedfedd, saith modfedd a hanner yn nhraed fy sane."

"A finne'n chwe throedfedd. Mi fyddwn ni'n gwpwl trawiadol. Beth am fynd i'r Bull neu rywle i ddathlu?"

"Ella y bydd rhywun yn 'y ngweld i'n llymeitian mewn tafarn ac yn fy riportio i'r *Head.*"

"Rwtsh. Fase neb yn meiddio gwneud y fath beth."

"Paid â bod mor siŵr."

"O'r gore, mi a' i â thi i gwarfod Mrs Merryweather, y landledi. Enw eitha siriol . . . Y peth nesa fydd mynd â thi i Lerpwl i gwarfod fy rhieni. Cystal iddyn nhw wybod sut beth mae eu mab yn mynd i briodi."

"Gobeithio na wna i mo'u siomi nhw."

" 'Rargien fawr, hogan, pam? Rwyt ti'n ddigon deallus, mae dy fanars di'n ddi-feth, rwyt ti'n bisyn reit ddel, mae gen ti ryw-faint o *savoir faire,* ac rwyt ti'n siarad Cymraeg a Ffrangeg yn rhugl."

"A dwi ddim yn globen o hulpen gefn gwlad nac yn lletchwith nac yn gwisgo'n flêr, a dwi ddim yn gneud swn wrth lwyo cawl i 'ngheg. Faint o farcie fyddet ti'n eu rhoi i mi? Petawn i'n fuwch neu'n ddafad, er enghraifft?"

"Taset ti'n fuwch, mi gaet ti *full marks.* Yn y dosbarth cynta."

"Dyna fase 'Nhad yn ddeud. Mae o'n arbenigwr ar wartheg. Yn 'u beirniadu nhw yn Sioe Powys . . . Wel, mi gofia i ymddwyn fel rêl ledi pan gyfarfydda i dy fam."

Aeth Gruff at y seld ac estyn potel o win a dau wydryn.

"Martini?"

Llanwodd y gwydrau.

"Iechyd da!"

"Iechyd da!"

Roedd Gwen yn ddedwyddach nag a fu ers tro byd, er y noson honno . . .

Na, nid hynny. Mae'r stori honno wedi hen ddarfod. Ond pam, pam, y mae'r atgof yn dŵad yn ôl drachefn a thrachefn i'm poeni i? meddyliodd. Ac nid yn hollol i'm poeni, 'chwaith, ond yn hytrach fel bwyd amheuthun na ddylwn i mo'i fwyta, sy'n parhau i 'nhemtio i.

§

Tŷ crand yn swbwrbia dosbarth canol Lerpwl oedd 'The Larches', cartref Gruff, tŷ a weddai i lawfeddyg o fri. Er bod Gruff yn fab i farchog, a hithau'n ferch fferm, ni theimlai Gwen yn israddol o gwbl. Paham y dylai hi? meddyliodd. Merch ac wŷres a gorwyres i ffermwyr oedd hi. Roedd ei theulu hi mor bwysig i gymdeithas ag oedd teulu Gruff.

"Dyma Gwen," meddai Gruff, yn ei chyflwyno i'w rieni a'i chwaer.

Gŵr tal, urddasol, oedd Syr Lewis, gŵr a fyddai'n amlwg mewn unrhyw gwmni, gyda'i wyneb hardd, gwritgoch, a'i wallt ariannaid. Dyma ei syniad hi o lawfeddyg i'r dim. Ysgydwodd law â hi, a chusanodd ei wraig hi'n groesawus, fel y gwnaeth Gwenda.

"A chithe'n Thomas, hefyd, a ninnau heb fod yn berthnasau! Ond dyna fo, mae cannoedd o Joneses yn priodi Joneses eraill. Felly, paham na ddylai'r Thomasiaid?"

Dynes fach dwt oedd Ledi Thomas, gyda llygaid bywiog a charedig a gwên chwareus. Roedd Gwenda ddwy flynedd yn hŷn na Gruff, hithau hefyd yn feddyg ac yn wraig i feddyg â phractis yn Southport. Nythaid o feddygon, meddyliodd Gwen. Aethant i mewn i'r lolfa i sgwrsio cyn swper — am ei hwythnos gyda Gruff yn Eryri, am ddringo, am lên ac am bethau yn gyffredinol. Teimlai Gwen yn hollol gartrefol yn y tŷ hwn. Doedd dim angen iddi boeni y byddai allan o'i helfen.

Ar ôl swper dychwelasant i'r lolfa am goffi; ymesgusododd Gwenda am ei bod hi ar alwad tan fore Llun. Roedd y lolfa hon yn dra gwahanol i barlwr Peniarth. O sylwi ar y gwahanol ffigurau ac ati oedd ar y byrddau bychain ac yn y cabinet gwydr, roedd yn amlwg fod Syr Lewis a Ledi Thomas yn deithwyr profiadol. Drannoeth cafodd Gwen gyfle i edrych yn fanylach arnynt — ffigurau rococo a llestri porslen Meissen a brynwyd cyn y rhyfel yn Dresden, costreli o Tsieina, cerfluniau bychain ifori o'r India. Dysgl Capodimonte oedd hon, eglurodd Gruff, a gwaith amheuthun *inlaid* o'r gweithdy yn Sorrento oedd y blwch hardd acw. Hongiai sgets pensel gan Stanley Spencer o Gruff yn ifanc ar y pared, ynghyd â llun o'i daid, a dwy olygfa o Bersia gan Fred Richards. Arwyddion o gyfoeth a chwaeth — er nad oeddynt yn rhwysgfawr — oedd y pethau hyn a'u tebyg, ac yn dra gwahanol i'r rhesi o lestri gleision patrwm helyg a addurnai'r ddresel fawr ym Mheniarth, a'r cŵn pridd ar y silff ben tân. Dau fyd cwbl wahanol oedd Peniarth a 'The Larches', ac o hyn ymlaen byddai'n rhaid iddi ymgynefino â'r ail a chadw'i thraed yn y ddau.

Nid oedd dim byd nawddogol yn ymarweddiad rhieni Gruff tuag ati, meddyliodd, wrth ddychwelyd gyda'r hwyr. Byddai wedi hoffi treulio rhagor o amser yn eu cartref, ond roedd yn rhaid iddi hi a Gruff fod yn eu holau erbyn eu gwaith drannoeth. Ie, pobl glên oedd ei rieni, heb ymbellhau oddi wrth eu gwreiddiau na cholli'u Cymreigrwydd. Arddelent ddau ddiwylliant, fel y gwnâi hi, mewn gwirionedd. A pham lai? Onid oedd dau beth yn rhagori ar un, megis y gallu i siarad mwy nag un iaith?

Serch hynny, ni allai ymysgwyd yn llwyr o'r anesmwythyd a'i poenai gynt. Do, gofynnodd Gruff am y bewaredd gwaith iddi ei briodi. Ofnai, yn y cyfamser, gael ei gwrthod ganddo, a bu'r diwrnodau pan na wyddai hi beth a benderfynai yn artaith parhaus. Sylweddolodd hi fod syniadau am ryw yn newid, bod y cysylltiadau rhwng gwŷr a gwragedd yn llac a brau, ac nad ystyrid diweirdeb o bwys mewn rhai cylchoedd o'i chenhedlaeth hi. Ond nid i'r rhain y perthynai Gruff, ac arwydd o'i fawrfrydigrwydd oedd bod ei chyfaddefiad heb amharu dim ar ei gariad tuag ati. Nage, nid mawrfrydigrwydd yn hollol — swniai hynny braidd yn nawddoglyd, fel ymostyngiad rhywun oedd yn barod i anwybyddu camwedd neu gwymp, yn hytrach na serch.

"Rwyt ti'n ddistaw iawn. Be sy'n dy boeni di?" holodd Gruff ar y ffordd yn ôl.

"Dim byd . . . Well i ti ganolbwyntio ar dy ddreifio."

"Dwi'n iawn. Os wyt ti'n dal i boeni amdanon ni, paid, da thi. Y peth pwysig rŵan ydi penderfynu pryd i briodi."

"Rhaid i ni gael tŷ neu fflat yn gynta."

"Dim problem. Beth am yr haf neu'r hydref?"

"Well inni aros am flwyddyn, nes bod popeth yn barod a minne wedi cwblhau blwyddyn arall yn yr ysgol."

"Os lici di . . . ond mae'r amser yn tynnu 'mlaen."

"Dim ond blwyddyn. Fel ti'n gwbod, dwi isio dal ymlaen am flwyddyn heb i ddim darfu ar fy ngwaith efo'r plant hŷn, ac os wyt ti am gael dy M.D., neu beth bynnag ydi o, rhaid i tithe ymwrthod â phleserau'r stad briodasol."

Chwarddodd Gruff.

"Paid â chellwair . . . Ond hwyrach dy fod ti'n iawn."

§

Wrth edrych yn ôl o'i chanol oed cofiai mai cyfnod dihafal oedd hwnnw a ddilynodd eu dyweddïad. Ni fu dim helyntion yn yr ysgol — dim mwy nag arfer, beth bynnag. Wrth gwrs, yr oedd ym mhob ysgol ddisgyblion na fynnent weithio fel y dylent, ac ni ddisgwyliai gyraeddiadau arbennig mewn Ffrangeg gan rai o'r dosbarth Lefel O, ond llawenydd oedd cael canlyniadau'r 'chweched' yr haf hwnnw. Cafodd pump ohonynt grantiau da i fynd i'r colegau, gan gynnwys ysgoloriaeth i Goleg Newnham yng Nghaer-grawnt ac un i Goleg Somerville yn Rhydychen, tra aeth dwy i brifysgolion Durham a Lerpwl a dwy arall i golegau hyfforddi.

Bu'n ymweld â chartref Gruff droeon yn ystod y tymor, a phan nad oedd o'n rhydd i fynd adref, fe âi hi yno weithiau ar ei phen ei hun ac amrywio'i hymweliadau â rhai i Beniarth. Treuliodd hi a Gruff bythefnos o wyliau'r haf yn Eryri, a chan ei fod yn benderfynol o wneud dringwr ohoni, arosasant ym Mhen-y-pas am wythnos ac wedyn mewn tŷ fferm yn Nant Ffrancon. Rhaid ei bod hi'n ddisgybl parod, a hithau eisoes yn gyfarwydd ag elfennau'r grefft, gan iddo 'i harwain i fyny *pitches* anodd yn gwbl hyderus y gallai hi ei ddilyn. Ambell waith roedd tri ohonynt, gan gynnwys Jim neu Bill, ar y rhaff, ac roedd hynny'n gefn mawr iddi.

Gwyddai Gruff faint y gallai hi fentro, ac erbyn diwedd y pythefnos roedd hi wedi cyrraedd safon ganmoladwy y medrai ymffrostio ynddi. A hyfryd oedd ymlacio ar ôl diwrnod o ymarfer ymdrechgar a mwynhau ychydig oriau o hamdden cyn clwydo. Diolchai o waelod calon i Gruff am ei amynedd ac am ehangu ei gorwelion. Roedd eu partneriaeth ar y creigiau'n ychwanegu dimensiwn arall i'w serch. Parhâi'r manylion yn fyw yn ei chof dros chwarter canrif yn ddiweddarach.

Mwynhaodd Gruff, o'i ran ef, yr ychydig ddyddiau a dreulias-ant ym Mheniarth ar ôl eu campau yn Eryri, pan grwydrent y ffriddoedd, ac yntau'n ymgynefino â thempo hollol wahanol i fywyd y dref. Dyddiau y byddai Gwen wedi hoffi eu hail-fyw oedd y rhain, ac edrychai yn ôl arnynt â hiraeth na fedrai treigl amser ei ddileu.

§

Er y byddai priodas yng Nghapel Princes Road, neu yn eglwys y plwyf lle y trigai Syr Lewis a Ledi Thomas, yn fwy ffasiynol, penderfynwyd priodi yn y capel yn Sir Drefaldwyn lle'r oedd teulu Gwen yn addoli. Dyna a ddymunai Gruff a'i rieni fel ei gilydd. Nid achlysur cymdeithasol a ffasiynol a ddymunent; er ehanged cylch eu cydnabod, roedd y mwyafrif ohonynt yn Saeson. Cytunwyd, fodd bynnag, y dylai'r gwasanaeth fod yn ddwyieithog er eu mwyn hwy; rhaid oedd cyfaddawdu, er nad oedd hyn yn hollol at ddant Gwen.

I'r fro roedd hwn yn ddiwrnod i'w gofio — "ein Gwen ni" yn priodi mab i farchog a oedd yn enwog ym myd llawfeddygaeth. Cynhaliwyd y wledd mewn gwesty lleol. Cafwyd araith yn Gymraeg gan dad Gwen ac un gaboledig ac ysmala yn y ddwy iaith gan Syr Lewis; yn wir, bu raid i'r gwesteion ddygymod â chlywed mwy o Gymraeg nag o Saesneg. Ond serch hynny, mwynhaodd pawb yr achlysur yn fawr.

Dihangodd y ddeuddyn i gyfeiliant yr organ ac ymadael, yn ôl yr adroddiad yn y papur newydd lleol, *"for the continent"*.

§

I Awstria yr aethant, ac wedi diwallu eu harchwaeth am gelfyddyd a'u dyhead am weld palasau Fienna a'r Donau Las chwedlonol oedd heb arlliw o lesni, aethant i Salzburg am ddeuddydd ac oddi yno i fwynhau tawelwch y Tirol. Cawsant lety syml ond cyffordddus yn y Pension Rosegger, ac roedd y lluniaeth yn rhagorol. Siaradai'r gwestywr, Herr Anton

Rosegger, ychydig o Saesneg, a rhwng hynny a'r tipyn Almaeneg a ddysgasai Gwen, llwyddasant i ymdopi, er na fedrai Gwen wneud na rhych na gwellt o dafodiaith y rhanbarth. Tŷ go fawr oedd y Pension Rosegger a chanddo fondo llydan a balconi bychan i bob ystafell wely, lle y gellid brecwasta. Wynebai borfeydd lle'r oedd gwartheg yn pori, a'u clychau am eu gyddfau'n tincial yn dawel; ac yn y pellter ymgodai'r Alpau uchel a oedd wedi'u coroni ag eira tragwyddol.

Gŵr siriol, cadarn, oedd Herr Rosegger; gwisgai lodrau lledr byrion bob amser ac iddynt fresys wedi eu haddurno â phatrymau brodwaith *edelweiss*. Pleser mawr oedd sgwrsio ag ef, gan yfed *lager* o gwpanau mawr priddlestr o flaen y tŷ gyda'r hwyr ac, yn y cyfnos, syllu ar gopaon eiraog y mynyddoedd yn troi yn lliw oren a choch wrth iddynt ddal goleuni'r machlud.

Byddai twristiaid o Brydain yn aros yn y *pension* o dro i dro, meddai Herr Rosegger — dyna sut y daeth i ddeall a siarad peth Saesneg — ond nhw oedd yr unig Brydeinwyr yno'r pryd hwnnw. Roedd yn falch iawn o wybod eu bod hwy, Gruff a Gwen, yn gartrefol gydag ef. Ei ferch, Liesl, a ddysgodd Saesneg yn yr ysgol yn Innsbruck, a weinai arnynt — merch brydweddol, gref, a arferai, fel ei thad, wisgo yn null y Tirol. Canai Herr Rosegger y *zither*, a rhwng hynny a'r iodlo a sŵn y cyrn hir yn diasbedain ar draws y dyffryn, yr oedd digonedd o seiniau hyfryd i'w diddanu.

§

Er bod tair blynedd oddi ar iddi adael Aberwysg — a hynny dan amgylchiadau pur annifyr — hiraethai o bryd i'w gilydd am gael dychwelyd yno i weld rhai o'i chydathrawon gynt, a Joan yn arbennig. Yno y cychwynnodd ar ei gyrfa a, serch ei phrofiad deifiol gyda Bryan a'r helynt ynglŷn â Jones German, daliai i goleddu atgofion hapus am y dref a'r ysgol. Bu Joan yn ffrind da iddi a hoffai ei gweld eto, er gwaetha'r embaras a barodd ei ffarwél, pryd y mynegodd ei gorhofter ohoni. Roedd yn flin ganddi na fedrai Joan ddod i'w phriodas; y rheswm oedd ei bod wedi trefnu mynd ar wyliau gyda chyfeilles ar yr union adeg honno. Ni allai Gwen lai na'i gwahodd, a hwythau'n parhau i ohebu â'i gilydd o dro i dro. Sgrifennodd ati i ofyn a fyddai hi yn Aberwysg dros yr hanner tymor, a chafodd fynd i aros gyda hi yn ei fflat fach gyfforddus.

Cofleidiasant fel dau gariad yn cyfarfod ar ôl gwahaniad hir. Holodd Gwen am yr ysgol a'r staff.

"Roedden ni i gyd yn gweld dy golli di," meddai Joan, "a minnau'n arbennig, ti'n gwbod. Mae'r prifathro newydd yn wahanol iawn i Hughes — bymtheng mlynedd yn iau na hwnnw, yn un peth, ac yn well disgyblwr. Ond gwyddonydd ydi o ac mae ganddo fo fwy o ddiddordeb mewn cynhyrchu gwyddonwyr nag sy ganddo fo yn y celfyddydau."

"Beth am Jones German?"

"Sôn am ymddiswyddo mae o. Helyntion gartref. Mair yn broblem. Mae hi'n cael pyliau o'r felan ac yn gorfod mynd i'r ysbyty am driniaeth sioc trydan pan ddôn nhw drosti. Mae'r peth yn dweud ar Jones, druan ohono. Wyt ti'n difaru dy fod ti wedi'n gadael ni?"

"Ydw, mewn ffordd. Ond tawn i wedi aros yma, faswn i ddim wedi priodi Gruff."

"Na faset, siŵr. Wyt ti'n hapus?"

"Ydw, 'tad. Pam wyt ti'n gofyn?"

"Wn i ddim yn iawn. Meddwl amdanat ti a Bryan."

"Paid â meddwl amdano fo. Y peth gorau ddigwyddodd i mi oedd iddo gefnu arna i. Dwn i ddim ble mae o, a dwi ddim isio gwbod, 'chwaith."

Cydsyniodd Joan.

"Roeddet ti'n lwcus."

"Oeddwn."

"Bu bron i Jones dorri'i galon ar ôl i ti fynd. Roedd o'n gwirioni arnat ti."

"Oedd. Ond tipyn o ffars oedd hyn'na, wedi'r cyfan . . . ond roedd hi'n brofiad garw i mi ar y pryd. Tase fo ddim wedi digwydd, yma y baswn i o hyd, am wn i, a ddim wedi gwneud fy M.A. Mae'n rhyfedd sut mae pethe'n troi allan. Ond achos o wneud rhaid yn rheswm oedd o. Beth ddaeth o Gethin? Ti'n cofio hwnnw? Roedd o'n gweithio yn Neuadd y Dre."

"Mi briododd y llynedd a chael swydd yng Nghaerloyw."

"Roedd o dros ei ben a'i glustiau mewn cariad efo fi . . . A'r lleill?"

"Gadawodd Rogers Maths a mynd i Birmingham. Mi gadd ei fab ysgoloriaeth i Gaer-grawnt. Wyt ti'n cofio hwnnw?"

"Arnold. *Science* oedd o, yntê? Doedd o ddim yn fy 'chweched' i."

"Mathemategwr fel ei dad."

"Ie, siŵr. Un o'r rheini sy'n llwyddo heb orfod gweithio. A beth amdanat ti?"

"Does 'na ddim llawer i'w ddweud er pan sgwennais i atat. Dal ymlaen i drio magu diddordeb mewn llenyddiaeth yn y plant — Keats, Shelley, Wordsworth, 'wsti — a llwyddo weithiau, ond ddim yn aml. Ychydig mae plant heddiw yn malio am lenyddiaeth, fel ti'n gwbod. *Economics* a gwyddoniaeth piau hi gan mwyaf. Ond rhaid pydru 'mlaen a gobeithio'r gorau."

Amneidiodd Gwen. Roedd hi'n deall yn iawn.

On'd oedd hi'n cael bod yn wraig a gweithio yr un pryd yn anodd? Wel, oedd, weithiau, ond roedd hi'n hapus, a hynny oedd yn bwysig. A doedd hi ddim wedi troi'n snob, sylwodd Joan.

"Naddo. Pam ddylwn i? Dydi teulu Gruff ddim yn grachach, na fynte, 'chwaith. Ac mi fydda i'n mynd adre cyn amled ag y medra i i gadw 'ngwreiddiau'n fyw . . . Beth am fynd am reid i rywle? Hoffet ti fynd i Tintern?"

Hoffai hynny, meddai. Ni fu yno ers talwm.

Gofidiai Gwen am Joan, braidd. Synhwyrodd ei bod hi'n unig a siomedig. Roedd hi'n ferch ddeniadol, ond rywsut methai gyfathrebu â phobol, yn enwedig dynion. Tybed gafodd hi brofiadau niweidiol pan oedd hi'n blentyn, neu a oedd rhyw swildod yn perthyn iddi na fedrai mo'i drechu, rhyw sioc anghofiedig a thrychinebus — yn ddiarwybod iddi — yn achosi rhwystredigaeth? Neu a benderfynwyd ei thynged gan ddamwain natur fympwyol neu nam cyfansoddiadol? Waeth heb â holi. Nid edrychai'n dda, 'chwaith. Sylwodd Gwen ei bod hi'n llesg iawn, yn ddiegni rywsut, a hithau ond ychydig flynyddoedd yn hŷn na hi. Yr haf hwnnw yr aethent ar wyliau i Ardal y Llynnoedd yr oedd hi'n ddigon egnïol ac iachus, ond erbyn hyn roedd ei gruddiau wedi colli eu gwrid. Hwyrach ei bod hi'n dioddef o anaemia . . . neu rywbeth gwaeth.

Eisteddent ar y bryn yn syllu ar adfeilion yr abaty islaw. Roedd yma dawelwch i'r enaid clwyfus.

"Wyt ti'n cofio'r llinellau sgrifennodd Wordsworth ar ôl ymweld â'r abaty am yr ail dro?" gofynnodd Joan.

> "... hearing often times
> The still, sad music of humanity,
> Not harsh nor grating, though of ample power
> To chasten and subdue. And I have felt
> A presence that disturbs me with the joy
> Of elevated thoughts ... "

"Yndw. Ro'n i'n hoff iawn ohonyn nhw pan oeddwn i'n ddeunaw. Ond mae pethe fel'na'n pallu gydag amser. Hwyrach ein bod hi'n colli blas ar ramantiaeth."

"Rwyt ti'n siarad fel dynes ganol oed. *Dwi* ddim wedi'i golli o. Os llwydda i i gyflwyno'r pethe dwi'n eu caru i'r ifainc cyn 'madel â'r fuchedd hon, mi fydda i wrth fy modd."

"Paid â siarad mor drist."

"Mae'n wir. Dyna'r unig beth sy'n 'y nghynnal i. Os nad oes gan rywun ryw gymhelliad i fyw, waeth iddo roi'r ffidil yn y to."

"Wyt ti'n meddwl bod rhywbeth o'i le arnat ti?"

"Ydw. Rywsut neu'i gilydd dwi'n teimlo 'mod i wedi colli'r ffordd."

"Dwyt ti ddim. Rwyt ti'n athrawes dda."

"Liciwn i gredu hynny. Ond dwi wedi colli gafael ar ôl deng mlynedd. Wn i ddim sut i'w ddisgrifio."

"Paid â thrio. Sbia ar yr olygfa. Yn tydi lliwiau'r hydref yn hardd?"

"Ydyn. Lliwiau natur yn gwywo."

"Dim ond dros dro."

Tybed, meddyliodd Gwen, a oedd rhyw salwch difrifol yn tanseilio ei ffydd ynddi'i hun. Nid fel hyn yr oedd hi gynt.

"*Mae* 'na rywbeth yn bod arnat ti," meddai. "Be sy?"

"*Pernicious anaemia,* meddai'r meddyg. Ond dydi'r driniaeth fawr o help."

Teimlai Gwen yn nawddogol tuag at Joan, fel pe bai angen ei

hamddiffyn rhagddi ei hun. Nid felly oedd hi pan ddaeth hi, Gwen, i Aberwysg gyntaf. Joan a'i cymerodd hi dan ei hadain, megis; hi oedd yr hen law a hithau, Gwen, oedd y newyddian, y lasfyfyrwraig, megis. Yn awr fel arall oedd hi. Gwen oedd y ddynes brofiadol, hunanhyderus, a hynny, bid siŵr, oherwydd ei pherthynas â Gruff a'r ddisgyblaeth lem y gorfodid iddi ei meithrin wrth ymgodymu â phroblemau dringo. Bu hyn yn gyfrwng iddi ddatblygu meistrolaeth arni ei hun, nid yn gorfforol yn unig ond yn feddyliol yn ogystal. Cywilyddiodd braidd wrth ymfalchïo yn ei chyflwr corfforol rhagorol, o'i chymharu â Joan. Tybed am ba hyd y medrai ddal ymlaen?

"Gwell i ni fynd rŵan," meddai yn y man. "Mi awn i Fynwy am baned cyn ei throi hi am adre. Byddwn yno cyn iddi nosi."

Doedd Mynwy ddim ymhell o Aberwysg, ond byddai'r cyfnos ar eu gwarthaf yn fuan.

Drannoeth cyfarfu Gwen â Jones German yn y dref, ar ddamwain.

"Wel, ar 'y ngwir!" meddai hwnnw. "Pwy 'sa'n disgwyl dy weld di? Dere am ddysgled o de yn rhywle."

Eisiau cael cip ar yr hen le oedd hi, meddai Gwen, a gweld Joan eto.

"Ie, Joan," meddai Jones wrth iddynt eistedd yn y caffi. "Mae hi'n dishgwl braidd yn dost. Falle 'i bod hi'n gorweithio."

"Ella . . . Sut mae pethau efo ti?"

Cododd Jones ei ysgwyddau.

"Dyw pethe ddim yn dda acw. Mair. Weithie mae hi'n câl tantrwms ac wedyn iselder ysbryd. Yn anodd iawn . . . Mistêc oedd i ti'n gadel ni. Doedd hi ddim yn gyfrifol am be wedodd hi."

"Na, fi oedd yn iawn. Dwi ddim yn difaru mynd."

Sylwodd ar arwyddion o straen ar ei wyneb. Doedd dim rhyfedd yn y byd, meddyliodd, dan yr amgylchiadau. Roedd o wedi colli pwysau ac roedd ôl y llwch sigarennau ar ei wasgod a'i siaced yn waeth fyth.

"*Cyclic melancholia,*" meddai. "Ffurf ar *manic-depression.* Mae hi'n amhosib ei thrin pan yw hi yn ei hwyliau drwg. Yn cwyno am bopeth, ac yna'n suddo i fath o dywyllwch ac yn gorfod mynd i'r ysbyty am driniaeth am sbel. Mae e'n ddigon i yrru dyn yn wallgof. Dwi'n meddwl weithie taw'r peth gore fyddai riteirio. Ond mae 'da fi rai blynydde tan hynny . . . Gwêd wrtha i amdanat ti — nawr dy fod ti'n fenyw briod."

Adroddodd Gwen beth o'i hanes rhwng sipiadau o de.

"Ti'n lwcus," meddai Jones.

Cydsyniodd hi; oedd, roedd hi'n lwcus. Sgwrsiasant am yr ysgol a'r newidiadau a fu er pan ymadawodd. Ryden ni i gyd wedi newid, meddyliodd hi, a Joan a Jones er gwaeth. Pa un oedd waethaf, tybed, anhwylder meddwl ynteu glefyd corfforol?

"Gawn ni gwrdd eto?" gofynnodd Jones wrth adael y caffi. "Dere am ginio gyda fi."

Diolchodd iddo am y gwahoddiad ond gwrthododd. Nid arhosai'n hir yn Aberwysg, meddai, a mynnai weld mwy ar Joan tra byddai yno. Doedd hi ddim am fynd i helynt eto am giniawa gyda Jones, fel y gwnaethai hi dair blynedd ynghynt.

Ar ôl iddynt wahanu parhâi Gwen i sefyll yn ei hunfan. Gwyliai Jones yn ymbellhau; roedd o'n heneiddio ac yn dechrau crymu fel hen ddyn. Gresyn fod bywyd mor annheg â rhai pobl. Oedd, roedd hi'n lwcus, ond tybed am ba hyd y parhâi ei ffawd dda? Aeth i mewn i siop win a phrynu potel o Old English Ruby i Joan. Dichon y gwnâi les iddi.

Gyda'r hwyr aeth â Joan allan i ginio, a da oedd ei gweld yn mwynhau'i hun. Ymfywiogodd ychydig yn ystod y noswaith gan adfer peth o'r hoywder a'i nodweddai yn y dyddiau gynt. Cyn ymadael drannoeth gwahoddodd Gwen hi i fwrw'r Pasg gyda hi a Gruff. Teimlai braidd yn euog am iddi'i hesgeuluso gyhyd. Roedd angen cyfeillgarwch arni i godi'i chalon.

Aeth Gwen i'r orsaf i'w chyrchu ar ddydd Gwener y Groglith a synnodd at y dirywiad er pan y'i gwelodd yn yr hydref. Archwiliodd Gruff hi yn drwyadl.

"Mae'n rhywbeth mwy nag anaemia," meddai. "Gwell i chi gael prawf gwaed tra byddwch chi yma."

Pan aeth y ddwy am dro ar hyd lan afon Hafren blinodd Joan yn fuan. Wedi hynny teithio i'r wlad yn y car a wnaent. Byddai'n rhaid iddi roi'r gorau i weithio, meddai Joan. Ni fedrai ddal ymlaen fel yr oedd hi. Fe fu'n anodd dros ben arni yn ystod y tymor diwethaf.

Roedd yn amlwg i Gwen na fedrai Joan ymdopi mwyach â straen dysgu. A phan ddaeth yr adroddiad o adran batholegol yr ysbyty, cadarnhawyd ofnau Gruff. Roedd hi'n dioddef o leukaemia. Hwyrach mai cuddio'r gwirionedd rhagddi a wnâi'r meddyg yn Aberwysg wrth ddweud ei bod hi'n dioddef o anaemia. Prin y gallai gredu i unrhyw feddyg wneud camgymeriad, fodd bynnag.

Wythnos cyn i Joan farw yn ysbyty Aberwysg piciodd Gwen draw i'w gweld hi. Bron nad oedd yn ei hadnabod gan mor denau a gwelw a diymadferth ydoedd, a phrin y llwyddai'r cyffuriau i leddfu'r poen. Ni allai Gwen wneud dim ond eistedd yn fud wrth erchwyn y gwely a chydio yn ei dwylo main a cheisio'i chysuro. Ond roedd yn hawdd gweld bod Joan yn synhwyro bod ei bywyd yn dirwyn i ben.

Trist oedd ei meddyliau ar ei ffordd adref o'r angladd; Joan yn marw'n brin deuddeg ar hugain oed ar ôl gyrfa ddisglair yn Aberystwyth a Rhydychen. Byddai wrth ei bodd yn ceisio ennyn gwerthfawrogiad o brydferthwch llên yn ei disgyblion. Wrth feddwl amdani cofiai Gwen am y gerdd honno gan Wordsworth i ryw Lucy Gray:

> But she is in her grave, and O,
> The difference to me.

Faint o wahaniaeth a wnâi iddi hi, tybed? Gofidiai am na welsai fwy arni ar ôl gadael Aberwysg, ond roedd hi'n rhy hwyr i ddifaru yn awr. Ac o gofio cariad Joan tuag ati hi, fe'i dwysbigwyd gan ei difaterwch; doedd gohebu â hi o dro i dro, ar adeg Nadolig, er enghraifft, ddim yn gwneud iawn amdano.

Ond dyna oedd bywyd, penodau'n dod i ben, un gyfrol yn cael ei chau, ac un arall yn cael ei hagor. Do, addefodd i Joan ei bod hi ar fai am ei hesgeuluso, ond ni thyciai hynny i lanw'r bwlch yn awr. Roedd hi'n rhy ddiweddar i ofidio. Prin bod ymadrodd mwy poenus na "rhy hwyr".

§

Roedd y ddwy flynedd er pan briododd yn fêl i gyd. Yr unig anfantais oedd bod Gruff yn gorfod gweithio'n hwyr yn aml, ac weithiau roedd yn cael ei alw allan ar ôl syrjeri min nos. Ond doedd mo'r help. Ar brydiau gofidiai Gwen iddi ddal ymlaen â'i gwaith. Weithiau roedd hi'n dra blinedig ar ôl dod adref o'r ysgol, a byddai'n rhaid paratoi gwersi ar gyfer trannoeth, yn ogystal â darparu pryd o fwyd i Gruff a gwneud y gwaith tŷ. Roedd yntau hefyd yn flinedig yn aml ar ôl diwrnod prysur a hoffai wrando ar ei recordiau tra oedd hi'n ymdopi â'r gwaith ysgol, a hynny, weithiau, pan nad oedd ganddo syrjeri ac yn dymuno cael ei chwmni. Roedd yna anawsterau, ond roedd y cyflog yn dra derbyniol ac nid oedd raid iddi dreulio oriau lawer yn y tŷ ar ei phen ei hun tra oedd Gruff yn gweithio.

Daeth dringo yn obsesiwn ganddi, bron, nid fel modd i gyrraedd pen y mynydd i weld yr olygfa ond fel ymarfer a hawliai ei nerth a'i deall hyd yr eithaf. Yr haf blaenorol treuliasant bythefnos yn Eryri, a soniodd Gruff am fynd â hi i'r Swistir, nid i ddringo creigiau, fel y gwnaent yn Eryri, ond i fynydda ar raddfa helaethach ac i ymateb i her y dringfeydd mawr ar rew ac eira'r uchelfannau. Soniodd am Les Grandes Jorasses, y Wetterhorn, Mont Blanc, y Schreckhorn a chopaon eraill, gan obeithio creu ynddi chwant am y cyfryw anturiaethau. Ond ar ddechrau Mehefin, canfu ei bod hi'n feichiog.

Yn ystod y gwyliau hynny buont yn Eryri drachefn yn rhoi cynnig ar rai o'r dringfeydd anodd. Ond o hyn ymlaen fe fyddai'n rhaid rhoi terfyn ar y dringo, a rhoddwyd y gorau i'r bwriad uchelgeisiol o fynydda yn yr Alpau. Gresynai Gwen at hynny, ond doedd mo'r help. Os oedd bryd Gruff ar fynd i'r Swistir, gallai hi fynd gydag ef, ond nid i ddringo. Erbyn gwyliau'r haf fe fyddai hi bron ddau fis yn feichiog.

Sut bynnag, penderfynasant dreulio wythnos yn Luzern ac wythnos yn Grindelwald. Byddai'n gostus, ond pa wahaniaeth? Roeddynt ill dau yn ennill, a hwyrach na chaent y cyfle eto, a chanddi hi faban i ofalu amdano. Hoffent gael cip ar Wal Ogleddol yr Eiger a theithio ar y rheilffordd i orsaf Eigerwand a'r Jungfraujoch, fel y gwnâi'r twristiaid i gyd.

"Dacw'r Wetterhorn," amneidiodd Gruff tra oeddynt yn

105

cerdded ar hyd prif stryd Grindelwald. "Mae o'n edrych yn agos, ond dydi o ddim. Mi gymerith bum awr i gyrraedd y godre. Bydd Jim a Bill yma erbyn diwedd yr wythnos, ac ryden ni wedi penderfynu'i ddringo."

"Ond mae o'n edrych yn ofnadwy o anodd drwy'r binociwlars 'ma."

"Gweddol. Mi arhoswn ni yn y caban Gleckstein dros nos, a chychwyn am y copa drannoeth. Ryden ni wedi 'studio'r *route* yn fanwl."

"Yn ôl y llyfr."

"Ie, ond mi wn i'r ffordd yr awn ni, fwy neu lai."

"Dydi ei weld o ddim yn ddigon i ti?"

"Nac ydi. Isio'i ddringo rydw i. Dyma'r unig gyfle ga i i ddringo'r tro yma. Ond mi ydw i'n addo un peth iti. Wnawn ni ddim dringo'r clogwyn mawr. Mi gymerith ormod o amser. Mynydda fyddwn ni, nid dringo clamp o wal. Dydi'r Wetterhorn ddim cyn waethed â'r Schreckhorn, ac mi ydw i wedi dringo hwnnw. Paid â gwahardd un trêt fach i mi."

"Ond be tae rhywbeth yn digwydd i ti? Cofia 'mod i'n feichiog. Mae 'na ddau ohonon ni i'w cysidro rŵan."

"Neith dim byd ddigwydd i ni. Ryden ni'n tri yn ddringwyr profiadol, cofia. Mi ro i wybod i'r gwesty a'r heddlu cyn cychwyn."

"Pam . . . os wyt ti'n hollol siŵr y byddwch chi'n saff?"

"Er mwyn iddyn nhw gael gwbod ble yden ni. Jest rhag ofn. Mae hynny'n arferol."

"Paid â mynd, cariad."

"Mi fydda i'n iawn, gei di weld. Nid yr Eiger fydd hwn. Wyt ti'n amau na fedra i mo'i ddringo fo?"

Gallai Gruff fod yn ystyfnig unwaith yr oedd o wedi penderfynu rhywbeth, meddyliodd Gwen, a doedd dim symud arno fo.

"Nac ydw, dwi ddim yn amau na fedri di ddringo'r peth."

"Paid â phoeni. Mae Jim a Bill yn ddringwyr heb eu hail. Wedi dringo yn yr Andes a'r Himalaya, heblaw'r Swistir. Wnawn ni ddim risgio dim, a gobeithio na fyddwn ni'n hwyr yn dŵad yn ein holau. Byddwn yn clwydo yn y caban Gleckstein ac yn cychwyn am y copa am bump o'r gloch y bore, gan gyrraedd erbyn canol dydd, gobeithio. Fe ddylen ni fod yn ôl yn Grindelwald erbyn saith neu wyth — cyn iddi nosi, beth bynnag."

"Beth am y tywydd? Wetterhorn, 'corn neu big y tywydd' . Mae enwau rhai o'r mynyddoedd yma'n argoeli'n ddrwg. Schreckhorn, Finsteraarhorn: *schreck*, 'braw', *finster*, 'sinistr'. Rhaid eu bod nhw'n golygu rhywbeth."

Chwarddodd Gruff.

"Mae rhagolygon y tywydd yn dda. Maen nhw'n addo tywydd braf."

Pan oeddynt yn ôl yn y gwesty ceisiodd Gwen ei ddarbwyllo drachefn i beidio â dringo'r mynydd. Ofnai iddo gael ei anafu gan garreg rydd neu lithro ar rywbeth annisgwyl. Ond roedd o'n benderfynol o fynd. Ni ddymunai siomi Bill a Jim, meddai.

Treuliasant y ddau ddiwrnod canlynol yn hamddenol — yn mynd am dro neu ar drip mewn coets, ac yn yfed a bwyta. Fe'i ceryddodd Gwen ei hun am fod mor bryderus. Wrth gwrs y byddai Gruff yn iawn. Er nad ar chwarae bach y dringid yr un o fynyddoedd yr Alpau, nid oedd hwn yn un o'r rhai uchaf — yn ddwy fil o droedfeddi'n is na'r Finsteraarhorn a thros dair mil yn is na Mont Blanc, meddai Gruff, ac roedd o'n gyfarwydd â'r Alpau. Ond edrychai yn fynydd garw. Soniai Gruff yn aml am ffydd. Oedd, roedd ganddo ddigon o ffydd. Hwyrach ei bod hi'n wirion yn pryderu yn ei gylch.

"Wela i di 'fory," meddai wrth ymadael i gyfarfod â Jim a Bill. 'Jim' a 'Bill' yn unig oeddynt iddi hi; ni wyddai o hyd beth oedd eu cyfenwau. "Paid â phoeni. Cofia, ryden ni o gwmpas ein pethe. Feder dim byd ddigwydd i ni. Coelia di fi." Fe'i cusanodd ac i ffwrdd â fo.

Drannoeth bu Gwen yn piltran o gwmpas y dref yn ddiamcan. Sbiodd ar y Wetterhorn drwy ei binociwlars o ben draw'r brif stryd fel petai'n gobeithio gweld y tri ar y mynydd. Er ei gwaethaf, ni allai beidio â phryderu. Gyda'r hwyr aeth i gaffi i ddifyrru'r amser. Roedd pris y coffi'n arswydus, fel popeth arall yn y Swistir, ond ta waeth am hynny. Yna rhodianna yn yr hwyrddydd a dechrau pryderu gan fod Gruff a'i gyfeillion heb ddychwelyd, er na wyddai pryd yn union i'w disgwyl yn ôl, yn enwedig gan na fuont ar y mynydd hwnnw o'r blaen. Dychwelodd i'r gwesty i ddisgwyl, yn bur anesmwyth ei meddwl. Cynyddai ei nerfusrwydd a'i hofn nes o'r diwedd, a hithau wedi nosi, ffoniodd swyddfa'r heddlu. Roedd yn argyhoeddedig fod rhywbeth o'i le a bod damwain wedi digwydd. Dyl'sent fod wedi dychwelyd ers oriau lawer. Erbyn dau o'r gloch y bore roedd hi bron yn wallgof gan bryder, a phan ffoniodd swyddfa'r heddlu am yr ail dro cafodd wybod bod heddwas a chriw achub wedi ymadael i chwilio am y tri. Bu sôn am afalans yn gynharach; credai rhywun iddo'i weld o hirbell drwy binociwlars.

Dychrynodd Gwen pan ddaeth plisman i'r gwesty ychydig wedi saith o'r gloch y bore a gofyn am gael ei gweld. Awgrymodd hi ei fod yn siarad Ffrangeg gan fod ei Saesneg mor drwsgl a chan nad oedd ganddi ond ychydig o Almaeneg.

Roedd ganddo newydd drwg, meddai. Bu damwain ar y mynydd — afalans a achoswyd ond odid gan godiad sydyn yn y tymheredd — ac roedd parti o dri wedi'u claddu odano. Bu'r gwasanaeth achub wrthi'n chwilio am y tri Phrydeiniwr — gan gynnwys ei gŵr hi — a oedd wedi hysbysu'r heddlu o'u *route* ymlaen llaw, ond dim ond un a gafwyd yn fyw. A fyddai hi gystal â'i ganlyn i swyddfa'r heddlu i ddweud a oedd hi'n adnabod y cyrff? Roedd yr un oedd wedi goroesi eisoes yn yr ysbyty, wedi torri dwy asen, un goes, a phont yr ysgwydd ac wedi anafu'i ben. Ar y ffordd i lawr digwyddodd y ddamwain, meddai, pan ddaeth yr afalans ar eu gwarthaf. Roeddynt wedi cyrraedd y copa'n ddiogel.

Gorweddai'r ddau gorff yn y swyddfa. Bill oedd un, a Gruff oedd y llall. Amneidiodd Gwen am na fedrai ddweud gair. Yna aeth popeth yn ddu. Syrthiodd mewn llewyg a tharo'i phen ar y llawr, a theimlodd wayw o'i mewn.

§

Pan ddaeth ati ei hun canfu mai mewn ward ysbyty yr oedd a bod nyrs a meddyg yn ei gwylio. Roedd cur yn ei phen a rhyw wacter o'i mewn. Nid oedd syniad ganddi am ba hyd y bu'n anymwybodol.

"Cawsoch ysgytiad dybryd," meddai'r meddyg, "ac ergyd caled i'ch pen. Mae'n ddrwg gennyf orfod dweud wrthych eich bod wedi colli'r baban."

Ni ddywedodd hi ddim, dim ond suddo yn ôl i ryw hanner cwsg.

Pan oedd hi'n gallu codi aeth i'r ward lle'r oedd Jim yn rhyw hanner eistedd yn ei wely, ei goes a'i asennau mewn plastr, ei fraich mewn sling, a bandais am ei ben.

"Dywedwch wrtha i be ddigwyddodd," meddai.

"Ar lechwedd isel y digwyddodd y ddamwain. Roedd y dringo drosodd. Ddaru ni gyrraedd y copa a disgyn heb ddim trafferth. Y codiad sydyn yn y tymheredd a'r newid yng nghyfeiriad y gwynt achosodd yr afalans, cyn i ni gyrraedd y glasier. Clywsom sŵn fel trên ecspres a'i heglu hi am ein bywyd, ond roedd yr eira arnon ni o fewn eiliadau. Rhaid bod cerrig a chlogfeini wedi cael eu rhyddhau, hefyd; dyna sut y cefais i f'anafu. Fi oedd y cyntaf i gael ei achub am nad oeddwn i wedi 'nghladdu mor ddwfn â'r lleill. Roedden nhw'n farw — wedi'u mygu gan yr eira — pan ffeindiwyd nhw, a hynny oriau ar ôl y ddamwain. Rywsut llwyddais i ryddhau fy hun rywfaint, ond roeddwn i bron â chlemio ac yn methu symud pan ges i fy achub. Gan amlaf gall pobol anadlu am amser gweddol hir dan eira, ond nid felly'r oedd hi'r tro yma. Roedd yr eira'n rhy ddwfn. Nid ar y dringo yr oedd y bai. Roedd hwnnw'n ddi-feth. Ddigwyddodd dim anlwc wrth ddisgyn nes y daeth yr afalans — os ydi hynny o ryw gysur i chi. Fedrai neb ragweld hwnnw, a doedd dim modd ei osgoi . . . Peth ofnadwy ydi colli ffrindiau."

"A cholli gŵr, Jim. Pam yn y byd oedd o'n mynnu mynd? A fydd 'na'r un plentyn, 'chwaith. Mi gollais i o."

"Druan ohonoch! . . . Ydech chi am i Gruff gael ei gladdu fan yma, efo dringwyr eraill?"

"Nac ydw. Mi wna i drefnu iddo gael ei hedfan yn ôl i Loegr — neu beth bynnag maen nhw'n neud yn y fath amgylchiadau — costied a gostio. Mi ffonia i'r banc i ofyn am arian i dalu am hynny ac am fy nhriniaeth i, a'ch triniaeth chi. Cewch dalu'n ôl i mi rywbryd eto."

"Diolch o galon, Gwen."

Fe'i llethwyd gan ymdeimlad o unigrwydd wrth iddi syllu drwy ffenestr y trên ar ei ffordd i Interlaken. Serch y prydferthwch o'i chwmpas yr unig beth yr oedd hi'n ymwybodol ohono oedd gwacter mawr. Tri bywyd — gan gynnwys yr un a fu yn ei chroth — wedi'u gwastraffu, a hithau'n unig, unig. Dyma derfyn dwy flynedd o wynfyd, a thywyllwch a gwacter yn coroni dwy flynedd o lawenydd digymar. Yr hyn a'i llethai oedd difaterwch natur a'i hagwedd niwtral arswydus tuag at fywyd dyn. Bu'r Wetterhorn yno ers canrifoedd lawer, a byddai yno hyd ddiwedd y byd, a'i wyneb yr un mor galed a dideimlad. Ni fedrai neb frwydro yn erbyn anhap ac anffawd. Pethau gwamal fel tymheredd ac eira a orchfygodd. Do, gorchfygodd Gruff her y creigiau a'r glasier ond cafodd ei dagu gan rywbeth mor feddal ag eira, tunelli ohono yn cael eu rhyddhau gan rywbeth mor ddibwys ac annisgwyl â chodiad mewn tymheredd. Bu ond y dim i'r tri ddianc, yn ôl Jim. Ychydig eiliadau yn unig oedd rhwng byw a marw.

Newidiodd drên yn Interlaken a mynd yn ei blaen i Zürich, lle penderfynodd dreulio'r nos ac ymadael drannoeth gyda Swissair am Fanceinion. Poenus fu anfon telegram o Grindelwald at rieni Gruff, a phoenus hefyd fu ffonio i ofyn i Syr Lewis neu Gwenda ei chyfarfod ym maes awyr Manceinion. Poenus, arteithiol o boenus, oedd popeth. Poen, dim ond poen, a chwithdod di-ben-draw.

Cerddai'n hamddenol ar hyd y Limmatquai at y llyn ac yna ar hyd ei lan. Ymhell yn y dwyrain gwelai amlinelliad mynyddoedd y Vorarlberg. Cyn pen dim byddent yn dal pelydrau olaf y machlud . . . Machlud. Teimlai fod ei bywyd hi yn machludo, a bod y gwyll yn cau amdani. Gwyll, nos, tywyllwch a gwacter a oedd yn ei haros heb Gruff a'r plentyn a ddisgwyliasai. Dwy flynedd o briodas ddedwydd ac yna wacter ac anobaith. Tybed pwy a ddioddefai fwyaf o ganlyniad i'r trychineb? Ai rhieni Gruff ynteu hi? Roedd eu gobeithion hwy ar Gruff i gyd, ond fe ddrylliwyd ei holl ddyfodol hi. Yn gam neu'n gymwys teimlai'n rhannol gyfrifol am ei farw. Dylasai fod wedi ei wahardd yn bendant rhag dringo'r mynydd, waeth pa mor benderfynol yr oedd. Ond fedrai hi ddim, ac yntau mor siŵr na allai anhap ddigwydd; ac ni fynnai ei amddifadu o'r pleser o gael dringo'r

110

mynydd ar ddiwedd eu gwyliau. A phwy a allai fod wedi rhagweld yr afalans, p'run bynnag?

Yn ystod yr ehediad i Fanceinion teimlai'n fwy unig fyth. Dylasai Gruff fod efo hi yn ei lawn hwyliau ar ôl eu gwyliau rhagorol. Ond nid llawenydd eithr tristwch a gofid diwaelod a'u coronodd.

Roedd Gwenda yn ei haros yng nghyntedd y maes awyr. Ni fedrai ei thad ddyfod oblegid y byddai ar ganol triniaeth law-feddygol. Nid oedd dim i'w ddweud — dim — dim ond cofleidio a sefyll ochr yn ochr i ddisgwyl y bagiau ac yna mynd at y car yn y maes parcio y tu hwnt i'r allanfa.

Roedd amser i lefaru ac amser i beidio â llefaru.

§

Roedd y tŷ a brynodd Gruff ddwy flynedd ynghynt mor wag â'i chroth. Nid profiad anarferol oedd dod i mewn i'r tŷ ar ei phen ei hun, ond gwyddai ar yr adegau hynny yn y gorffennol y dychwelai Gruff maes o law. Ni ddigwyddai hynny fyth eto, dyna oedd yn arswydus. Byth eto. Parhâi ei hunigrwydd fel baich na fedrai mo'i ysgwyd oddi arni, neu — i newid y gyffelybiaeth — fel gwacter na lwyddai dim i'w lenwi. Gwacter yn bennaf — y gwacter a'i cnoai yn ddiderfyn a didostur, beunydd beunos. Crwydrodd drwy'r ystafelloedd yn ddibwrpas fel cath yn amau bod ei meistres wedi'i gadael hi ac eto'n disgwyl iddi ddychwelyd. Roedd yno ddigonedd o bethau — dodrefn, llyfrau technegol Gruff, y chwaraeydd recordiau, lluniau ar y parwydydd, rhewgell yn y gegin — digon o bethau. Ond nid pethau a lanwai dŷ, eithr bywyd. Ac nid oedd yma fywyd mwyach. Teimlai fel *simulacrum*, efelychiad o beth byw, yn symud fel robot heb fedru ymateb o gwbl i'w amgylchfyd. Byddai'r tŷ yn rhy fawr iddi o hynny ymlaen, ond ni fedrai yn ei byw feddwl am ei adael gan mai Gruff a'i prynodd.

Roedd y tymor newydd wedi dechrau ers pythefnos, a Gruff wedi'i gladdu. Bu'r staff yn llawn cydymdeimlad â hi, a'r plant, hyd yma, yn ymddwyn yn ystyriol ac yn barchus. Yr oedd digon i lenwi ei dydd.

Dychwelyd i'r tŷ fin nos oedd yn annioddefol a hithau'n

gwybod na ddeuai Gruff adref gyda'r hwyr ar ôl oriau syrjeri neu ar ôl ymweld â'i gleifion. Roedd marw'n arswydus: ei marw hi, neu feddwl amdano, a marw Gruff y ffaith derfynol. Hwnnw oedd yn arswydus, y ffaith na fyddai'n ei weld byth eto. Byddai'n rhaid iddi wynebu'r unigrwydd o fod hebddo yn swpera a chiniawa a sgwrsio a gwrando ar recordiau a chysgu gyda hi. Hwyrach, ymhen y rhawg, y llwyddai i orchfygu'r unigrwydd ofnadwy hwn. Sut yr edrychai hi yn ôl, chwarter canrif yn ddiweddarach, at y cyfnod a dreuliasant gyda'i gilydd, tybed? A gollai hwnnw ei realaeth? Ai ailbriodi a wnâi hi? Nid dyma'r amser priodol i feddwl am hynny, eto. Byddai'r briw yn dal yn noeth, heb ei wella, a sarhad ar Gruff fyddai hyd yn oed ystyried y posibilrwydd.

Gwnaeth baned o de a thorri tafell o fara menyn. Gwnâi hynny'r tro i aros pryd. Gorweddai albwm o luniau ar y bwrdd ger y ffenest yn ymyl llun eu priodas. Eisteddodd i lawr ar gadair esmwyth a dechrau troi'r dalennau. Lluniau gwyliau oeddynt gan mwyaf: un ohoni hi ar y Grib Goch yn y gaeaf ac yn dringo'r Pinaclau; Gruff yn cychwyn dringo Clogwyn y Person; un ohoni hi yn glynu wrth graig lefn fel gwybedyn ar bared — nemor ddim gafaeliadau a'i breichiau ar led fel pe bai'n chwilio am rywbeth i gydio ynddo. Ond mewn gwirionedd llun twyllodrus oedd hwn, tric camera; nid oedd ond ychydig droedfeddi rhyngddi a'r llawr glaswelltog. Yna, lluniau o'u mis mêl yn Fienna a Salzburg ac yn y Tirol; llun o Herr Rosegger yn canu'r *zither*, un ohono ef a Liesl, ac un ohonyn nhw ill dau wedi'i dynnu ganddo fo. Ychydig ddyddiau'n ôl derbyniasai ragor o luniau o'r mis mêl yn y Swistir. Heblaw am y rhain, cynhwysai'r albwm luniau o Gruff yn ifanc, yn bwrw'i brentisiaeth fel dringwr, a lluniau o'r briodas ac o deulu Gruff.

Caeodd y gyfrol a'i dodi mewn drôr. Gwell peidio â'i gadael ar y bwrdd i'w hatgoffa'n feunyddiol am Gruff a chodi hiraeth arteithiol arni. Gobeithio y deuai dros ei phoen a'i gwacter gyda threigl y blynyddoedd.

Arferai fwrw'r Suliau ym Mheniarth ac yng nghartref Gruff bob yn ail. Hoffai ei rieni gymaint fel na fedrai lai na'i hystyried ei hun yn un o'r teulu, fel yr oedd hi, wrth gwrs. Daeth hi a

Gwenda'n gyfeillion agos, a lleihaodd hynny'r ymdeimlad o unigrwydd llethol, ac fel yr âi'r misoedd heibio dechreuodd ymgynefino â dychwelyd i dŷ gwag. Fe'i hatgoffai ei hun mai prin ddeg ar hugain oed oedd hi, ac nad oedd y byd wedi dod i ben gyda marwolaeth Gruff. Er dyfned ei galar, gwyddai o'r gorau fod yn rhaid ymwregysu a dechrau o'r newydd. Serch hynny, doedd dim ymwared llwyr, a digysur oedd mynd i gysgu heb Gruff yn y gwely cyfagos yn dweud, "Cysga'n dda!"

Un peth yn arbennig a'i trawodd. Tra oedd Gruff yn fyw mwynhaent fywyd cymdeithasol llawn yn gymaint ag y caniatâi ei oriau gwaith. Ymwelent yn lled aml â meddygon eraill a'u gwragedd yn y dref a'r ardal. Ond oddi ar marw Gruff peidiasai'r cyfeillachu'n ddisymwth ar ôl mynegaint o gyd-ymdeimlad, fel pe na pherthynai hi i'r un cylch mwyach. Nid gwraig i gymrawd oedd hi yn awr ond gwraig weddw annibynnol yn ennill ei bywoliaeth fel pawb arall — athrawes, nid gwraig i feddyg gynt. Nid oedd yn un ohonynt bellach, a pharodd hynny gryn boen iddi ar y dechrau, ond penderfynodd os mai dyna'r math o bobl oedden nhw, y medrai fyw hebddynt. Roedd ganddi ffrindiau eraill ar y staff ac yng Nghymdeithas Glyndŵr, a chyn pen fawr o dro roedd cyfeillgarwch arall a allai roi cyfeiriad newydd i'w bywyd wedi dechrau.

4

Drwy hyfforddiant Gruff daethai Gwen i fwynhau ymgodymu ag anawsterau heriol y creigiau a'r clogwyni ond, ar y cyfan, difyrrwch gwrywaidd ydoedd. Arferai ddringo gyda Gruff a'i gyfeillion, Bill a Jim, ond doedd neb arall o'i chydnabod â diddordeb yn y gamp. O hyn ymlaen, heb Gruff, byddai dimensiwn cyfan o'i bywyd yn eisiau, a phur anodd fyddai gorfod dygymod â hynny.

Heblaw hyn, dynion fu ei phrif gyfeillion, er da neu er drwg: Alan, Bryan, Jones German, Gethin, ac yna Gruff. Joan oedd ei hunig gyfeilles agos, ac roedd hithau, fel Gruff, yn ei bedd. Mae'n debyg na welai mo Jim fyth eto. Doedd dim i'w rhwystro rhag cerdded y mynyddoedd a mentro ar rai o'r esgyniadau llai peryglus ar ei phen ei hun. Ond digon diflas fyddai hynny.

Gwawriodd llygedyn o obaith, fodd bynnag, pan apwyntiwyd Elizabeth Finch yn athrawes chwaraeon newydd i ddysgu hoci, gymnasteg a thenis, a, phe dymunid, *lacrosse*. Cynnyrch Coleg Cheltenham i Foneddigesau ydoedd, yn ferch i deulu cefnog o Woking yn Surrey, a chanddi brofiad o ddringo yn Ardal y Llynnoedd; corfforiad, ym marn Gwen, o'r crachach Seisnig da eu byd a'i hystyriai hi, fel Cymraes cefn gwlad, yn aelod dieithr ac israddol o gymdeithas. Hi oedd yr unig un a'i galwai yn 'Taffy'. Roedd hyn yn mynd dan ei chroen, yn arbennig yng ngŵydd aelodau eraill o'r staff. A hithau wedi cael ei gwala o Elizabeth Finch a'r llysenw, aeth â hi o'r neilltu ryw ddiwrnod a dweud wrthi'n blwmp ac yn blaen am beidio â'i galw'n 'Taffy'.

"Gwrandwch," meddai. "Dwi ddim yn orsensitif nac yn ddihiwmor, a ches i mo'r fraint o fynd i Cheltenham Ladies' College, ond mi ydw i'n tarddu o deulu o ffermwyr uchel eu parch. Mi fues i'n byw yn Ffrainc, priodais feddyg oedd yn fab i farchog, ac mae'n amlwg i mi gael mwy o addysg academaidd na chi. Ar ben hynny, dwi'n ddringwr profiadol ac yn gyfarwydd â rhai o esgyniadau garwaf Eryri. Dwi ddim yn hogen fach cefn gwlad sy'n gwbod dim am y byd y tu allan i'w milltir sgwâr. Iawn?"

Sbiodd Elizabeth Finch arni'n syn, heb wybod beth i'w ddisgwyl nesaf.

Aeth Gwen rhagddi. "Siawns nad ydech chi'n sylweddoli bod 'Taffy' yn derm sarhaus sy'n ein difenwi ni'r Cymry, a does arna i ddim isio'i glywed byth eto. Dwi ddim yn dod o'r Stockbroker's Belt, os ydi hynny o bwys. Ond ta waeth. Felly, dim rhagor o'r Taffy. Reit? O hyn ymlaen Mrs Thomas neu Gwen fydda i i chi. O.K.?"

Edrychodd Elizabeth Finch fel pe bai wedi cael cernod, a gwgodd braidd.

"Wyddwn i ddim eich bod chi'n gallu bod mor grafog."

"Na, wyddoch chi ddim amdana i. Dwi ddim yn grafog. Mater o falchder ydi o. Ond mi ddylasai cyn-ddisgybl o sefydliad mor ddethol â Cheltenham Ladies' College fod yn fwy ystyriol o deimladau pobol eraill."

Trodd a gadael Elizabeth Finch yn sefyll yn gegrwth yn ei hunfan. Am rai dyddiau bu Elizabeth yn ei hosgoi ac yna, un diwrnod, fe ddaeth i ymddiheuro.

"Mae'n ddrwg gen i," meddai. "Fydd 'na ddim rhagor o'r 'Taffy'."

"Diolch am hynny."

"Cefais fy magu mewn cylch gwahanol iawn i'ch un chi. Rhaid i chi faddau i mi."

"Dwi ddim yn dal dig."

"Diolch."

"Felly, mae'r mater wedi'i gau."

Ni symudodd Elizabeth Finch.

"Wel?"

"Fe ddwedsoch chi eich bod chi'n ddringwr profiadol. Rydw inne, hefyd. Tybed a fedrwn ni fynd i Ogledd Cymru am dipyn o ddringo rywbryd?"

Nid atebodd Gwen ar unwaith.

"Wn i ddim. Does gen i fawr o awydd rŵan. Lladdwyd fy ngŵr ar y Wetterhorn y llynedd, ac mae hynny wedi 'nhroi i yn erbyn dringo. Roedd yn brofiad trawmatig . . ."

"Oedd, siŵr, yn un ofnadwy." Petrusodd am ennyd. "Mae hi'n hanner awr wedi pedwar. Ddowch chi am baned i rywle?"

"Dof, wrth gwrs."

Yn ystod eu sgwrs yn y caffi cafodd Gwen wybod fod brawd Elizabeth Finch yn aelod o Glwb Mynydda Rhydychen a Chaer-grawnt, ei fod yn y Gwasanaeth Sifil, yn gweithio yn y Swyddfa Dramor, ac yn bwriadu bod yn ddiplomydd; pan oedd yn fyfyriwr bu'n rhwyfo dros ei goleg yn Rhydychen.

Tybed a ydi hon yn trio gwneud argraff arna i? meddyliodd Gwen. Doedd hi ddim yn llwyddo, beth bynnag.

"Meddwl oeddwn i y byddai hyn o ddiddordeb i chi, gan eich bod chi a'ch gŵr yn hoff o ddringo."

"Ydi, mae o. Mae gynnon ni rywbeth yn gyffredin."

"Oes, yn wir. Gobeithio y bydd hwnnw'n dod â ni at ein gilydd."

Gobeithio y gwnaeth torri ei chrib les iddi, synfyfyriodd Gwen ar ôl iddynt wahanu. Roedd hi'n siort go dda wedi'r cyfan, serch ei lleferydd la-di-da a Choleg Cheltenham i 'Ladies', ac roedd hi'n ifanc, hefyd. Yn ddiau bu cael ei cheryddu gan Gymraes am y tro cyntaf yn brofiad newydd ac ysgytiol iddi ac yn brawf nad taeogion mo'r Cymry, os mai dyna a gredai gynt.

Er mawr syndod i Gwen daeth hi ac Elizabeth yn gyfeillion agos. Nid oedd Elizabeth yn snob yn y bôn ond yn ferch naturiol ddigon o'i hadnabod yn well — yn hael ac yn agored, yn boblogaidd gan y genethod, ac yn llawn ynni. Cyfeillgarwch pur od oedd hwn, meddyliodd Gwen; hithau wedi ei haddysgu mewn ysgol gynradd gefn gwlad ac ysgol ramadeg, yn ferch i ffarmwr ac yn Gymraes, ac Elizabeth yn gynnyrch ysgol baratoawl breifat ac ysgol breswyl ddrud a'i theulu'n perthyn i'r dosbarth canol cyfoethog 'uwch'. Hwyrach fod peth gwirionedd yn rhigwm Kipling: *The Colonel's Lady and Judy O'Grady are sisters under their skins.* Beth bynnag, roedd rhywbeth tebyg yn wir am eu perthynas hwy, er nad math ar 'Judy O'Grady' oedd hi, ond synnodd pan wahoddodd Elizabeth hi i fwrw rhan o wyliau'r Pasg gyda hi a'i theulu yn Woking. Byddai Gerald yn falch o'i chyfarfod, meddai, ac yntau, fel hithau, yn ddringwr profiadol.

O dipyn i beth lleihaodd ei hymdeimlad o unigrwydd, yn arbennig ar yr adegau hynny pan ymwelai Liz â hi. Llanwai honno'r lolfa â'i chwerthin a'i phersonoliaeth fywiog ac allblyg. Rhoes ei chwmni gyfle i Gwen ddianc rhagddi ei hun, dros dro, beth bynnag, ac roedd yn help i dolcio'r crwst hunanynysol a'i neilltuai oddi wrth ei hamgylchfyd fel arfogaeth amddiffynnol neu gragen crwban.

§

Tŷ lled fawr, ffug-Duduraidd ei olwg, oedd 'Tudor Lodge', yn sefyll yng nghanol tir wedi ei drin yn ofalus; roedd coed tal o'i gwmpas ac o'i flaen lawnt eang mor llyfn a byr â melfed. Partner mewn cwmni o fancwyr marsiant yn Llundain oedd tad Elizabeth, a'i fys ar bwls byd cyllid a'r gyfnewidfa stoc. Cynrychiolai fyd tra gwahanol i'r eiddo Syr Lewis Thomas ac un mwy dieithr fyth i Gwen. O'i chymharu â Lerpwl a'i strydoedd salw, tywyll, gallai'r rhan hon o Loegr fod ar blaned arall. A sôn am ddwy genedl, roedd y ddau fyd am y pegwn â'i gilydd; ofnai Gwen y byddai hi fel llong ar dir sych yn y cyfryw amgylchfyd. Heblaw ei deulu a'i waith, ceffylau a golff oedd prif ddiddordebau Leonard Gordon Finch, gŵr a berthynai i ddosbarth cymdeithasol na wyddai hi ddim oll amdano, sef dosbarth maestrefol ariannog ardaloedd graenus deheubarth dwyreiniol Lloegr.

Wel, meddai Gwen wrthi'i hun, roedd rhywbeth i'w ddysgu o hyd. Roedd hwn yn fyd tra gwahanol i bum can erw yn Sir Drefaldwyn, a'r trigolion, yn ôl pob tebyg, mor ddieithr i'w chydnabod hi â phe'u magesid mewn dau fydysawd gwahanol.

Pobl fel y Finches oedd asgwrn cefn y blaid Geidwadol, ymgorfforiad o'r dosbarth proffesiynol a chyfalafol, a'r *Daily Telegraph* a'r *Financial Times* yn borthiant beunyddiol iddynt. Ond ni fynnai eu barnu, na chael ei barnu ganddyn nhw. Rhaid oedd derbyn pobl fel yr oeddynt. Ond tybed beth a feddyliai ei ffrindiau gartref amdani'n hobnobio â'r fath gylch? Arswydent, debyg iawn.

Er mawr syndod iddi, ymgartrefodd yn fuan yn 'Tudor Lodge', gan garediced oedd teulu Liz. Ni ddangosent ddim arwydd o'r haerllugrwydd a'r balchder nawddogol roedd Gwen yn ei ddisgwyl, a hynny, er gwaethaf eu hyder ynddynt eu hunain a'u safle mewn cymdeithas. Go brin y gallent amgyffred sut oedd trigolion Rochdale a Bradford a Tonypandy'n byw, ond roeddynt yn garedig ac yn eangfrydig. Wrth gwrs, allen nhw ddim llai na bod yn groesawus wrth ffrind i'w merch.

Ymddangosai mam Liz braidd yn fursennaidd, fel y gwnâi gwragedd rhai meddygon, hefyd, meddyliai Gwen. Roedd hi'n aelod o glwb chwarae bridj — gêm ddiflas yn ôl ei gŵr, rhywbeth i ddifyrru clepwragedd. Gwell oedd ganddo yntau chwarae golff, a darllen gyda'r hwyr, yn arbennig fywgraffiadau a hunangofiannau gwleidyddion a chyfreithwyr enwog. O ran golwg, roedd yn debyg i'r llun o'r gŵr iachus hwnnw a wisgai siaced *tweed* yn cynnau ei getyn yn hysbysebion y cylchgronau yn cymeradwyo baco Three Nuns a matsys Swan Vestas. Serch yr oriau a dreuliai yn Llundain, roedd arno olwg dyn a garai'r awyr iach.

Bu Gwen yn ceisio dyfalu sut un oedd Gerald. Mewn ysgol ramadeg a phrifysgol *redbrick* yr addysgwyd Gruff, cefndir academaidd tra gwahanol i un Gerald Finch. Disgwyliai iddo siarad ag 'acen Rhydychen', sef lleferydd gŵr bonheddig o'r crachach fel y'i gwawdid gan Gymry go-iawn er mwyn cael hwyl am ben Saeson y dosbarth honedig 'uwch'. Ond pan gyrhaeddodd maes o law nid un felly ydoedd o gwbl. Siaradai Saesneg plaen, safonol, a naturiol; gŵr dirodres a dinonsens ydoedd, o leiaf ar ei aelwyd ef ei hun. Rhaid ei fod o'n ddisglair, hefyd, meddyliodd, o gofio'r hyn a ddywedodd Liz. Roedd ganddo radd dosbarth cyntaf mewn gwleidyddiaeth, athroniaeth, ac economeg, ac wedi ennill honno bu'n dilyn cwrs mewn Sbaeneg a Phortiwgëeg. Roedd yn dal, fel ei dad, a'i wallt yn dywyll a thonnog. Yn ôl y sôn, pobl anhyblyg, amhersonol a ffurfiol oedd gweision sifil, yn gwisgo siaced ddu a throwsus streip a het ddu 'Anthony Eden' ac yn cludo briffcês, ac ambarél wedi ei rholio'n dynn fel ffon gerdded. Yn ddiau roedd y math hwn o ddyn yn bod, ac ni wyddai Gwen sut yr ymddygai Gerald yn Whitehall; hwyrach y cydymffurfiai â'r ddelwedd dybiedig, ond ni wnâi hynny pan oedd o gartref.

"Felly, chi ydi Gwen," meddai. "Mae Liz yn sôn amdanoch chi'n aml. Mi ddaru chi ei dwrdio am eich galw chi'n 'Taffy'. Da iawn chi! Mi wnaeth les iddi!"

Chwarddodd y ddau.

"Ac rydech chi'n ddringwr, hefyd. Roedd Owen Glynne Jones — un o ddringwyr mwyaf ei oes — yn Gymro. Fe'i lladdwyd ar y Dent Blanche drigain mlynedd yn ôl. A'ch gŵr. Clywais lawer o sôn amdano, er nad oeddwn i'n ei nabod. Darllenais erthygl ganddo yn y *British Alpine Journal* ar ei esgyniad newydd ac arloesol ar y Dru — un o'r dringfeydd mwyaf anodd yn yr Alpau."

Ni wyddai Gwen fod Gruff yn ysgrifennu erthyglau, a theimlai wefr o falchder ohono — y mynyddwr adnabyddus a fygwyd gan lwyth o eira. Am eironi! Fel marwolaeth Owen Glynne Jones y cyfeiriodd Gerald ato, a gafodd ei ladd oblegid i'r tywysydd, o bawb, lithro, ac nid oherwydd methiant ar ei ran ef.

"Cer i wneud paned i ni," meddai Gerald wrth ei chwaer. "Yn y cyfamser mi ddangosa i erthygl ei gŵr i Gwen."

Darllenodd Gwen yr ysgrif, 'A new route up the Aiguille du Dru' gan Gruffydd I. Thomas, M.B., Ch.B.; syllodd ar y darlun o'r mynydd pigfain a edrychai'n amhosibl ei ddringo ac ar ddiagram o'r esgyniad a arloesodd Gruff, gyda Bill Russell a James Wilson. Anodd credu fod Gruff a Bill yn farw rŵan. Cododd y geiriau hyn, a sgrifennodd Gruff cyn iddi ei adnabod, hiraeth arni. Ni froliai fyth am ei gampau; nid oedd hynny yn un o'i nodweddion.

"Roedd ei farw'n golled fawr," meddai Gerald.

"Oedd, i mi yn anad neb. Cawsom ddwy flynedd ardderchog gyda'n gilydd . . . Ond beth am siarad am rywbeth arall?"

119

"Os ydi o'n boenus i chi."
Oedd, roedd yn boenus dros ben.

Wythnos braf oedd honno, a phawb yn ceisio'u gorau i'w diddanu. Bu'n chwarae tenis efo Liz a buont yn Llundain ddwywaith. Bu Mrs Finch yn trio'i dysgu hi sut i chwarae bridj, ac ar y Sul aeth Gerald â hi yn ei gar i'r South Downs a dangos tirlun Surrey a Sussex iddi. Roedd o'n wir ŵr bonheddig, yn hyddysg mewn llawer pwnc a chanddo ambell stori ddoniol am y Gwasanaeth Sifil a'i fiwrocratiaeth a'r *gobbledegook*, y jargon swyddogol a oedd yn annealladwy i'r lleygwr ac weithiau i'r swyddogion eu hunain. Cyraeddasant Bognor Regis a mynd am dro ar lan y môr cyn cael paned o goffi ar y ffryrit. Buasai Gruff wrth ei fodd yn 'nabod Gerald, ac os oedd hwnnw'n nodweddiadol — hwyrach nad oedd o — o gynnyrch ysgolion bonedd a Rhydychen, yr oedd yn bryd iddi ddiwygio ei syniadau amdanynt a rhoi'r gorau i'w rhagfarn gynhenid. Hwyrach nad oedd y dosbarth canol Seisnig i gyd yn grachach, er nad 'ein pobol ni' oeddynt.

"Gobeithio y cawn ni'ch gweld chi eto," meddai Mrs Finch wrth Gwen wrth iddi ymadael. Dyna a obeithiai hithau, hefyd, atebodd, gan ddiolch am y croeso.

" 'Wela i chi y tymor nesa," meddai Liz wrth ganu'n iach iddi yng ngorsaf Paddington. Cloffodd yr ymddiddan cyn i'r trên gychwyn, fel sy'n digwydd yn aml wrth ffarwelio â rhywun ar blatfform gorsaf.

Daliodd Gwen i edrych drwy'r ffenest agored nes i Liz fynd o'r golwg.

Do, fe fu'n wythnos ddymunol.

§

Yn ystod gwyliau'r haf aeth Gwen i ddringo yn Ardal y Llynnoedd gyda Liz a Gerald. Maes newydd oedd hwn iddi hi oddieithr pan aeth yno gyda Joan. Ond esgyn Helvellyn a Skiddaw fel twristiaid a wnaethant y tro hwnnw, a theithio o gwmpas mewn car a cherdded llawer.

Er iddi benderfynu rhoi'r gorau i ddringo wedi marwolaeth Gruff, parhâi'r creigiau a'r clogwyni i'w denu fel magned. Erbyn meddwl, gwastraff fyddai peidio â manteisio ar ei hyfforddiant a'i gallu i feistroli esgyniadau heriol. Felly i Eryri yr aeth gyda Liz, er bod hynny fel troi'r gyllell mewn briw gan fod y cysylltiadau mor boenus. Ond roedd hi'n fwy bodlon mynd i Cumberland a Westmorland. Cyfeiriasai Gruff weithiau at ddringfeydd yn y siroedd hynny; gwyddai bob peth am bob man yn myd dringo, ac edrychai hi ymlaen at ymateb i sialens clogwyni'r Llynnoedd.

Yn hytrach na mynd â phebyll a gwersyllu a gorfod darparu eu bwyd eu hunain, penderfynwyd aros mewn gwesty yn Wasdale Head o fewn cyrraedd i Great Gable a Sca Fell a mwynhau'r diddosrwydd a'r gwelyau cyffordus ar ôl diwrnod o ddringo a cherdded.

Er bod gwahaniaeth sylweddol rhwng yr arhosiad hwn yn Ardal y Llynnoedd a'r troeon pan aethai i ddringo gyda Gruff yn Eryri, roedd yna beth tebygrwydd — yr ymlacio gyda'r hwyr ar ôl pryd o fwyd helaeth, dadflino wedi diwrnod ar y creigiau, a Gerald yn astudio'r esgyniadau ar gyfer trannoeth yn ei lyfr cyfarwyddyd, fel y gwnaethai Gruff. Ond roedd y wlad yn fwy mwynaidd, yn wyrddach ac yn ehangach nag Eryri. Ni fu hi erioed ar graig mor serth â Kern Notts; roedd hi bron yn hollol unionsyth. Doedd dim rhyfedd iddi lithro, ond fe'i harbedwyd rhag syrthio gan Gerald. Profwyd ei medrusrwydd i'r eithaf wrth ddringo bwtres dwyreiniol Sca Fell a'i chwe chan troedfedd o uchder. Roedd hi'n ddringwraig gampus, meddai Gerald.

Hoffai Gerald yn fawr, nid am ei fod yn ei chanmol, ond am ei fod yn wrandawr da a diragfarn. Gwrandawodd yn astud ac yn ddeallus (neu felly yr ymddangosai iddi hi) pan soniodd am hunanlywodraeth i Gymru, fel pe bai hynny'n rhywbeth cwbl naturiol i'w hawlio. Cydsyniodd â hi pan dynnodd ei sylw at y ffaith ryfedd mai acen i'w gwatwar oedd acen y Cymro wrth siarad Saesneg, tra oedd acen yr Albanwr yn rhywbeth i ymffrostio ynddo. Paham, tybed? Wrth gwrs, roedd agwedd y Cymry eu hunain braidd yn od, meddai. Dathlai'r Sgotiaid fuddugoliaeth Bannockburn yn erbyn y Saeson, gan anghofio iddynt gael eu trechu ar faes Flodden, ond galaru am Gilmeri byth a hefyd a wnâi'r Cymry.

Aeth rhagddi i sôn am lên a diwylliant Cymru, pwnc hollol ddieithr iddo, ebe Gerald. Dylan Thomas oedd yr unig un y gwyddai unrhyw beth amdano.

"I lenyddiaeth Saesneg mae hwnnw'n perthyn," meddai Gwen. "Doedd ganddo ddim gair o Gymraeg. Wn i ddim pam mae'r Saeson yn gwirioni arno."

"Peidiwch â'n beio ni am fod mor anwybodus o'ch llenorion a hwythau'n sgrifennu mewn iaith mor anodd i'w deall. Pe bai'r Cymry'n sgrifennu yn Saesneg, fel y gwnaeth Scott a John Buchan a Yeats a Synge a Sean O'Casey, neu mewn rhyw fath o Saesneg fel Burns, fe fydden ni'n gwbod mwy amdanyn nhw."

"Ond nid dyna'n hiaith ni, Gerald annwyl. Mae'n rhaid i lenor sgrifennu yn ei iaith ei hun."

Y diwedydd hwnnw, sgwrsient yn y gwesty wrth ymlacio ar ôl diwrnod o ddringo caled, a hithau wrth ei bodd gan ei hystyried ei hun yn genhadwr dros Gymreictod, a hynny yng ngŵydd dau Sais a chanddynt ddigon o ddiddordeb, er syndod iddi, i hoelio'u holl sylw ar ei dadl.

Synhwyrodd fod Gerald yn gwrando arni ag edmygedd yn hytrach nag â chwilfrydedd a difyrrwch. Gobeithiodd na ddiflaswyd hwy gan ei ffrwd o genedlgarwch.

Y noswaith cyn iddynt droi am adref, a Liz a hithau ar eu pennau eu hunain, dywedodd Liz:

"Mae gen i ofn dy fod ti wedi dwyn calon Gerald, os nad ydi hynny'n swnio'n sentimental."

"Paid â smalio," atebodd Gwen.

"Dwi ddim yn smalio. Dwi o ddifri. Roedd o'n siarad amdanat ti'n aml gartref, ac mae'n amlwg ei fod o wedi ymserchu ynot."

"Lol botes. Ddangosodd o ddim byd fel yna."

"Naddo. Dydi o ddim yn gwisgo'i galon ar ei lawes, fel ryden ni'n dweud."

"Ddylset ti ddim fod wedi dweud wrtha i. Mae'n gwneud i mi deimlo'n *embarrassed.*"

"Wel, yfô ddywedodd. Fel tae o'n chwilio'r tir. Dy rybuddio di ydw i."

O'r nefoedd fawr! meddyliodd Gwen. Gobeithio mai tynnu 'nghoes i mae hi. Mae'n rhy fuan i rywbeth fel hyn ddigwydd.

Ond digwydd a wnaeth.

Pan ddychwelodd Gerald awgrymodd eu bod nhw'n mynd am dro ar hyd glan llyn Wastwater.

"Mae gen i rywbeth i'w ddweud wrthoch chi."

Brawychodd Gwen. Rŵan amdani, meddyliodd.

"Soniais i ddim wrth neb am hyn," ebe Gerald, gan betruso fel pe'n chwilio am eiriau. "Chi ydi'r cyntaf i gael gwbod. Mi fydda i'n cael fy nanfon i'r llysgenhadaeth yn Buenos Aires fel *commercial attaché* cyn bo hir."

"Llongyfarchiadau. Wyddwn i ddim eich bod chi'n arbenigo ar faterion masnach."

"Dydw i ddim. Ond yn adran De America o'r Swyddfa Dramor yr ydw i'n gweithio, ac mae gen i rywfaint o wybodaeth am y pwnc. Synnwn i ddim pe cawn i fy nanfon i Ancara neu Lisbon neu Sofia rywbryd. Maen nhw'n ein symud ni o gwmpas fel gwerin gwyddbwyll."

"Ydyn, siŵr. Diolch i chi am ddweud wrtha i."

"Ond mae 'na un peth arall."

"Be 'di hwnnw?"

"Wnewch chi 'mhriodi i? Mi ydw i'n eich caru chi." Swniai'r geiriau'n ystrydebol, fel mewn nofel, ac yn gyfarwydd, yn ei hatgoffa am y sefyllfa debyg honno yng Nghapel Curig bedair blynedd ynghynt.

"Peidiwch â dweud hynny, Gerald."

"Dwi wedi'i ddweud."

"Mae hyn yn syndod mawr i mi. Fedra i ddim rhoi ateb i chi rŵan; rhaid i mi gael amser i gysidro'r peth — ac mae 'na lawer i'w gysidro. Yn un peth, merch o gefn gwlad Cymru ydw i. Dydi hynny ddim yn gymhwyster ar gyfer bod yn wraig i ddiplomydd, a hwnnw o deulu Seisnig cyfoethog, yn gynnyrch ysgol fonedd a Rhydychen."

"Pam?"

"Mae'n amlwg. Sut y gallwn i f'addasu fy hun i fyw mewn math o *ghetto* Seisnig mewn gwlad estron, a mynd i *receptions* diplomyddol ac yfed coctêls byth a hefyd, a phethau felly?"

"Fyddai fo ddim yn *ghetto*."

"Wel, cylch cyfyngedig 'te. Mi fyddwn i fel pysgodyn allan o ddŵr, fel rydech chi'r Saeson yn ddweud, fel llong ar dir sych."

"Na fyddech."

Bu distawrwydd rhyngddynt am ysbaid.

"Rhowch amser i mi gysidro." (Ie, dyna ddywedodd hi wrth Gruff hefyd, fel pe bai bywyd yn troi mewn cylch, a'r gorffennol yn cael ei ailadrodd). "Ydech chi'n hollol siŵr eich bod am fy mhriodi?"

"Ydw, neu fuaswn i ddim wedi gofyn i chi."

"Ond doedd gen i ddim syniad . . ." (Doedd hyn ddim yn hollol wir. Roedd Liz wedi paratoi'r ffordd. Ond be fedrai hi ddweud wrtho fo? Roedd o mor hoffus. Ond doedd dim ond blwyddyn er marwolaeth Gruff — i'r diwrnod, bron — ac roedd hi'n dal i'w garu, er ei fod yn farw. Neu a oedd hynny'n wirion? A fedrai hi barhau i garu'r meirw, fel petaen nhw'n dal yn fyw?)

Roedd y llyn yn llonydd, llonydd, fel drych du, a'r mynyddoedd cyfagos yn dywyll yn yr hwyrddydd. Cerddasant fraich ym mraich heb dorri gair pellach. Yna troes Gerald ati a'i chusanu.

"Coeliwch chi fi, dwi'n eich caru chi — ers y tro cyntaf i ni gyfarfod, bron. Doedd arna i ddim awydd priodi 'rioed o'r blaen; wel, do, mi wnes i ymserchu mewn merch yn Rhydychen, ond hen hanes ydi hwnnw."

"Mae gan bawb ohonon ni hen hanes sydd wedi'i gladdu . . . Pryd fyddwch chi'n mynd i Ariannin?"

"Wn i ddim i sicrwydd. Rywbryd yn yr hydref, am wn i."

Edrychai ymlaen at fynd, meddai, ac yntau'n siarad Sbaeneg yn lled rugl.

Gwasgarodd y cymylau a thywynnodd y lleuad drwy'r adwy. Yn y lloergan nid edrychai'r clogwyni garw mor fygythiol ag a wnaent gefn dydd golau. Ac roeddynt yn arw, hefyd, ac fe gâi Gwen hi'n anodd credu eu bod ill tri wedi bod yn eu crafangio ac yn glynu wrthynt fel gelenod yn ystod y pythefnos hwnnw. Buasai Gruff wrth ei fodd yno pe bai'n fyw.

Aethant yn eu blaenau am ychydig ac yna troi'n ôl. Er mai diwedd Awst oedd hi, chwythai gwth o awel oerllyd i lawr y dyffryn; aeth y lleuad o'r golwg.

Ni soniodd Gerald ragor am briodi ar y ffordd adref o'r Llynnoedd. Er i Gwen ei wahodd ef a Liz i dreulio'r nos gyda hi yn ei chartref, gwrthododd Gerald. Roeddynt ar frys mynd adref, meddai, er bod Gwen yn amau nad hwnnw oedd yr unig reswm. Ond arosasant am baned o goffi cyn mynd ymlaen ar eu taith. Roedd y glep ar ddrws eu car wrth ymadael fel arwydd fod y pythefnos afieithus yn eu cwmni ar ben; byddai'n rhaid iddi bydru ymlaen ar ei phen ei hun eto rŵan yn y tŷ unig a difywyd.

§

Er bod blwyddyn gyfan wedi mynd heibio oddi ar farwolaeth Gruff, roedd hi'n dal i deimlo mor unig ar brydiau â phan ddychwelodd ar ôl yr angladd, ac yn awr, wedi ymadawiad Gerald a Liz, roedd yr unigrwydd yn fwy beichus fyth, ac aroglai'r tŷ yn esgeulusedig a mwll ar ôl bod yn wag am bythefnos. Byddai'n rhaid dygymod â bod ar ei phen ei hun eto nes y dechreuai'r tymor ysgol ac y deuai pethau eraill i fynd â'i bryd.

Y broblem fwyaf a'i hwynebai yn anad dim ar hyn o bryd oedd pa ateb i'w roi i Gerald; byddai'n rhaid penderfynu y naill ffordd neu'r llall. Hwn, o bosib, fyddai'r tro olaf iddi gael cynnig i briodi, a phe'i gwrthodai fe'i condemniai ei hun i fod yn wraig weddw neu'n hen ferch o hynny ymlaen — nid oedd fawr o wahaniaeth rhwng y ddwy.

Fel o'r blaen, roedd pethau eraill i'w hystyried yn ogystal. Byddai'n rhaid iddi roi'r gorau i ddysgu yn derfynol, a doedd hi ddim am wneud hynny, ddim mwy nag oedd hi pan briododd hi Gruff. Yn ogystal, golygai priodi Gerald fynd i fyw i wledydd tramor, mudo o'r naill wlad i'r llall a chael bywyd tra ansefydlog, ac ni fynnai mo hynny 'chwaith. Dichon y câi Gerald aros yn Ariannin am ryw dair neu bedair blynedd, ac yna ei symud i Washington neu Brasil neu Madrid neu hyd yn oed i Dwrci, am a wyddai hi. A phed anfonid Gerald i'r llysgenhadaeth mewn gwlad Gomiwnyddol, byddai hynny'n waeth fyth. Er ei bod yn hoff o deithio, nid oedd y syniad o fod yn alltud parhaus yn apelio ati, a phe penodid Gerald yn Brif

Ysgrifennydd i lysgenhadaeth, neu hyd yn oed yn llysgennad ymhen y rhawg, prin yr arhosai yn yr un man am fwy nag ychydig flynyddoedd. Dibynnai hynny, yn ôl pob tebyg, ar ba lywodraeth fyddai mewn grym ym Mhrydain ar y pryd. Ar ben hyn i gyd, doedd hi ddim yn caru Gerald. Fe'i hoffai'n fawr; ni châi hi byth well gŵr. Ond wiw iddi dderbyn yr hyn na fedrai ei roi yn ôl iddo ef. Hwyrach y deuai i'w garu, ond annhegwch ag ef fyddai ei briodi heb fedru ei rhoi ei hun iddo yn gyfan gwbl. A pharai hynny gryn boen iddi. Roedd Gerald mor glên a diwylliedig a gwâr, a chanddo ddeallusrwydd o'r radd uchaf, fel y profodd ei yrfa academaidd a'i gyraeddiadau hyd yn hyn, ac roedd dyfodol disglair o'i flaen. Eto i gyd, doedd Gwen ddim yn ei garu fel y carasai hi Gruff. Tybed beth a barai i rywun ymserchu mewn un person arbennig yn hytrach nag mewn rhywun arall, waeth pa mor hoffus y bo? Roedd hi'n siŵr y byddai hi'n wraig deilwng iddo, ond . . .

Yn bennaf oll nid aethai ond blwyddyn heibio er pan fu Gruff farw. Teimlai mai anffyddlondeb fyddai ymrwymo wrth ddyn arall mor fuan â hyn. Pe bai Gruff wedi marw dan amgylchiadau gwahanol, a rhoi iddi'r rhyddid i ailbriodi pe mynnai, dichon y byddai'n haws penderfynu.

Edrychodd ar ei lun ar y bwrdd gerllaw. O Gruff, Gruff, be ddylwn i wneud? Dywed wrtha i, 'nghariad i. Pwniodd ei chluniau â'i dyrnau, fel pe bai hynny'n help iddi gael ateb, ond dal i syllu'n llonydd a wnaeth ei olygon ac ni symudodd y gwefusau mud. Ni chafodd air o gyngor yn ei dryswch. Cronnai'r dagrau yn ei hanobaith. Nid oedd dim modd dianc rhag ei chyfyng-gyngor. Hwyrach mai teimladrwydd oedd meddwl fel hyn, ac mai ffolineb fyddai ei chlymu ei hun wrth y marw drwy gydol ei hoes. Mae'n bosib mai camgymeriad fyddai pa beth bynnag a benderfynai, a gallai gwrthod Gerald fod yn gamgymeriad mwy na'i briodi. Ond ofer oedd gofidio am yr hyn nad oedd modd ei newid. Sut y gallai hi wneud cyfiawnder â'r marw ac â'r byw? Ofnai y byddai gwrthod Gerald yn fath o sarhad arno, fel pe bai'n dibrisio ei gariad fel rhywbeth annerbyniol,

Yn ôl a blaen, amgylch ogylch aeth ei meddyliau, fel ceffylau bach ffair, a hanes fel pe'n ailddigwydd. *Plus ça change, plus c'est le même chose.* Gruff a Gerald, ill dau, yn gofyn iddi'n annisgwyl i'w priodi ar ôl gwyliau dringo, a hithau y tro hwn, megis cynt, mewn dryswch meddwl o ganlyniad. Roedd fel petai wedi'i thynghedu i frwydro â sefyllfaoedd a barai iddi flinder a phoen o'r mwyaf. Seithug oedd dal i eistedd a phendroni fel hyn, a hithau'n methu gweld unrhyw ffordd allan o'i chyfyng-gyngor. Cystal iddi ddarparu lluniaeth a diwallu'r awydd am fwyd a'i cnoai, fel y gwnâi gwacter ei henaid.

Aeth i'r gegin ac agor yr oergell. Yno yr oedd wyau a hanner pwys o facwn wedi ei selio mewn seloffên a phecyn o fargarîn heb ei agor, ac yn y cwpwrdd dun o ffa Heinz. Yn ffodus roedd ganddi dorth a charton o laeth a brynodd yn Lancaster rhag ofn y byddai'n rhy hwyr i siopa ar ôl cyrraedd adre. Digonai hyn hi am y tro.

Cyn bo hir llanwyd y gegin ag aroglau bacwn ac wy yn ffrio, ac roedd y ffa yn cynhesu ar y stof. Malodd fesuriad o ffa coffi yn y felin law a thywallt peth llaeth i mewn i sosban arall. Yna llanwodd y tegell trydan ac, wedi i'r dŵr ferwi, hidlodd y coffi. Gwnâi hyn i gyd yn fecanyddol, bron, fel y gwnaethai gydol y flwyddyn ddiwethaf. Ond yn ei hwyl bresennol roedd unrhyw fath o weithgaredd yn well nag eistedd yn ei hunfan a hel meddyliau.

Ar ôl bwyta, llanwodd ddwy botel-ddŵr-poeth a'u dodi yn ei gwely, a deimlai'n oer a llaith wedi pythefnos heb ei ddefnyddio. Na, nid pleser oedd dychwelyd i'r tŷ ar ei phen ei hun, ond cystal iddi sicrhau gwely cyfforddus iddi'i hun, er bod arni ofn y parai ei phenbleth a'i pharlys ewyllys iddi dreulio llawer o oriau ar ddi-hun.

§

Pan dderbyniodd Gwen lythyr oddi wrth Gerald ddiwedd yr wythnos ganlynol yn erfyn am ateb, dwysbigwyd ei chydwybod yn arteithiol. O na fuasai'r gwyliau wedi dod i ben heb iddi gael ei hwynebu gan gyfyng-gyngor mor boenus! Tybed a fedrai hi ohirio penderfynu nes cyrhaeddai Liz, a thrafod y mater gyda hi? Ond na, ni allai barhau i simsanu rhwng dau begwn. Mater iddi hi i'w benderfynu drosti'i hun oedd hwn. Roedd ganddi syniad lled dda beth fyddai cyngor Liz. Ond nid ei dewis hi fyddai hynny.

Gan ei bod yn ddydd Sul trannoeth, penderfynodd fynd i chwilio am dawelwch yn hytrach nag aros yn y tŷ fel anifail mewn cawell. Pa well lle, meddyliodd, na'r Pistyll, ac esgyn i'r rhostir diffaith y tu draw iddo lle na thorrai neb na dim ar ei thraws? Clywsai fod gweddillion teml gynhanesol ryw filltir ymhellach ar yr ucheldir, mewn man cwbl anghysbell. Pe deuai o hyd iddi dichon y'i swynid ganddi megis gan y gweddillion Rhufeinig hynny yr ymwelai â hwynt pan oedd hi'n byw yn Aberwysg. Gobeithiai y byddai'r unigedd hwnnw yn ei helpu i ddatrys ei phroblem unwaith ac am byth a rhoi terfyn ar ei dryswch. Roedd fel pe bai rhyw ysfa reddfol yn ei gorfodi i fynd i'r man hwn. Bedair blynedd ynghynt — os pedair hefyd — bu yno gyda Gruff, nid yn y deml ond wrth y Pistyll, a hithau bryd hynny mewn sefyllfa argyfyngol debyg, yn gorfod penderfynu a ddywedai wrtho nad oedd hi'n wyryf.

Y tro hwn nid âi i sefyll ar y bompren a syllu ar y golofn ddŵr yn disgyn, fel y gwnaethai gyda Gruff. Byddai'r atgof yn rhy boenus.

Cyrchodd at y llwybr igam-ogam nid nepell o'r Pistyll ac esgyn i'r mynydd uwchlaw a chyrraedd y rhostir brwynog a rhedynnog a oedd mor unig â phen draw'r byd. Ymlwybrodd drwyddo a gwyro i lawr at ymyl yr afonig lle y credai yr oedd y meini hirion, a chyn pen fawr o dro, wedi peth chwilio, fe ddaeth o hyd iddynt, ymron wedi eu cuddio gan y glaswellt a'r rhedyn, a rhai wedi suddo i'r ddaear. Ond dyma nhw, yn gylch toredig o feini dim mwy na throedfedd o uchder, yn olion o gymdeithas gyntefig a oedd wedi diflannu ers oesau maith. Yma roedd tawelwch, a dorrid yn unig gan sibrwd y dŵr rhwng y brwyn gerllaw a brefiad achlysurol ambell ddafad. Yma, fe gredid, yn wynebu'r dwyrain, addolid yr haul gan hil ddiflanedig yr hen Gymry neu'r cyn-Gymry, yn y cylch hwn ar ddiwedd dwy res gyfochrog a bylchog o feini a safai gynt yn uchel uwchlaw'r tir. Pam, tybed, y codwyd y deml mewn lle mor ddiffaith? Hwyrach oblegid i'r bobl chwilio am le tawel, fel y gwnaeth hithau, ond i berwyl gwahanol. Hawdd, yn y fan yma, oedd ceisio cofio "y pethau anghofiedig/Ar goll yn awr yn llwch yr amser gynt", ys dywedodd Waldo.

Gorweddodd Gwen ar wastad ei chefn ar y glaswellt byr ar ganol y cylch a chau ei llygaid a theimlo haul Awst yn anwesu ei bochau. Er mai ffansi, neu fympwy, a'i gyrrodd i'r fangre hon, câi yma dawelwch meddwl i benderfynu ynglŷn â'i dyfodol. Daliai yr un ystyriaethau â chynt; er cymaint ei hoffter o Gerald, nid oedd yn ei garu. Ni fynnai grwydro'r byd gydag ef na byw mewn gwledydd estron, ac ni fynnai roi'r gorau i'w gyrfa. At hyn, ni allai addo bod yn wraig i neb mor fuan ar ôl colli Gruff, er bod hwn, efallai, yn agwedd hen-ffasiwn. Roedd hi'n siŵr y byddai unrhyw ferch arall wedi achub y cyfle yn ddibetrus a'i groesawu â breichau agored, megis, ac yn ddiau byddai Liz yn credu ei bod hi'n ffŵl yn gwrthod ei brawd. Ond nid merch arall oedd hi. Y naill ffordd neu'r llall byddai ei phenderfyniad yn argyfyngol, heb sôn am y siom a'r boen a achosai i Gerald wrth ddweud 'Na' wrtho. Doedd dim amdani ond sgrifennu ato, er mor boenus y byddai, a dymuno'n dda iddo.

Ymhen hir a hwyr cododd o'i gorffwysfa, nid ag ymdeimlad o ollyngdod, ond yn drwmgalon, a mynd yn ei hôl at y Pistyll. Dringodd dros fagwyr a llwybreiddio drwy goedwig o binwydd i lawr at y man lle rhuai'r afon dros y clogwyn i'r dyfnder dros ddau gan troedfedd islaw. Clywsai y bu damwain yn y fan hon ar ddechrau'r ganrif pan syrthiodd merch i'w marwolaeth. Ni wyddid ar y pryd pa un ai damwain ynteu hunanladdiad ydoedd, yn ôl ei thad a adwaenai Dan Price, Plas Tanat — cymeriad adnabyddus yn Sioe Powys. Mam ei blentyn siawns, Gwilym, oedd y ferch, a digwyddodd yr anhap tra oedd Dan yn y carchar yn Amwythig wedi'i gael yn euog o ddynladdiad. Gwelsai y Gwilym hwn, a oedd ymron yr un oedran â'i thad, droeon mewn sioeau amaethyddol. Gallai ddychmygu'r olygfa — y ferch ifanc, oherwydd anobaith neu'n ddamweiniol, yn diflannu i gyfeiliant y rhaeadrau, gan gwympo â sgrech i'r pwll islaw. Dilynodd Gwen y llwybr serth ar hyd y fagwyr a chyrraedd gwaelod y llechwedd. Teimlai iddi gael ei dal gan ffawd elyniaethus a oedd yn gwarafun iddi y llawenydd a haeddai. Ie, cyfnod o garwriaeth enbyd efo Bryan, dwy flynedd o wynfyd efo Gruff, ac yn awr y loes o wrthod priodi Gerald.

Drannoeth, â theimladau pur gymysg yn ei chorddi, sgrifennodd at Gerald, a phostio'r llythyr. Diflannodd yr amlen drwy dwll y bocs llythyrau fel anifail bach byw yn cael ei lyncu gan fwystfil rheibus, yn symbol, meddyliodd, o gladdu gobaith yn ddi-alw'n-ôl. Bu ond y dim iddi 'ddifaru ar y funud olaf, ond roedd hi'n rhy hwyr i hynny rŵan. Dychwelodd adref ac eistedd mewn cadair esmwyth gan syllu o'i blaen fel pe'n gweld dim, ac yna wylodd yn hidl.

Roedd arni ofn gweld Liz ar ddiwrnod cynta'r tymor. Tybed ai ei cheryddu'n llym am fod yn ffŵl a wnâi, ynteu cydsynio na fedrai hi wneud yn amgenach. Ofnai Gwen, hefyd, y byddai eu cyfeillgarwch ar ben.

"Beth am fynd i rywle am baned?" meddai Liz wrthi yn ystafell y staff ar ddiwedd y dydd. "Fedrwn ni ddim siarad fan hyn; bydd y gwragedd yma mewn ychydig funudau i dacluso a chlirio'r llanast ar ein holau."

"Wel," meddai, wrth arllwys y te, "wn i ddim beth i'w ddweud wrthot ti. Mae'r peth yn siom ofnadwy i Gerald. Mae o'n dotio arnat ti. A hoffwn inne dy gael di'n chwaer-yng-nghyfraith hefyd."

"Diolch i ti am ddweud hyn'na. Mi wn ei fod yn dotio arna i; fase fo ddim isio 'mhriodi i fel arall."

"Beth yn y byd mawr oedd dy resymau di? Ddywedodd Gerald ddim byd wrtha i. Dwi'n siŵr y byddet ti'n hapus efo fo. Rwyt ti wedi colli siawns o gael bywyd da."

"Tybed? Petawn i'n ei garu o . . ."

· "Rwyt ti'n hen ffasiwn. Dydi hynny fawr o bwys heddiw."

"Nac ydi. Dyna pam mae priodasau'n chwalu. Mae o o bwys i mi."

"Dyna'r unig reswm?"

"Nage. Ond dyna'r prif reswm. Dwi ddim isio byw mewn gwledydd estron 'chwaith, a dwi'n amau a fyddwn i'n gwneud gwraig addas i ddiplomydd. Ond paid â meddwl ei fod o'n benderfyniad hawdd. Achosodd ofid calon i mi, coelia di fi. Nid ar chwarae bach y gwrthodais i o. Roeddwn i mewn penbleth enbyd. A chofia, dim ond blwyddyn sydd er pan fu farw Gruff."

"Falle y gwnei di 'ddifaru."

"Falle. Pwy a ŵyr? Ond roedd yn rhaid dod i ryw benderfyniad. Dwi'n hoff iawn o Gerald. Ond yn fy marn i dydi bod yn hoff o rywun ddim yn ddigon o reswm dros ei briodi."

"Mi fyddai i mi, dan yr amgylchiadau. Faswn i ddim wedi petruso am eiliad, 'taswn i yn dy le di."

"Ond dwyt ti ddim, cariad. Mae pawb yn wahanol, diolch byth."

Bu ennyd o ddistawrwydd.

"Dydi Gerald ddim yn edrych ymlaen at fynd i Ariannin hebddot ti," meddai Liz wedyn, rhwng dau gegaid o gacen.

"Mi ddaw drosto fo. Cofia, mae ei fyd o'n wahanol iawn i 'myd i. Faswn i fawr o help iddo yn Buenos Aires, neu ble bynnag mae o'n mynd."

"Lol. Ti sy'n rhy ddiymhongar. Be 'di'r gwahaniaeth — yn gymdeithasol, dwi'n feddwl — rhwng bod yn wraig i feddyg ac yn wraig i ddiplomydd?"

"Gwahaniaeth mawr iawn, faswn i'n meddwl. Yn un peth, dydi gwraig meddyg ddim yn symud o le i le . . . A doedd colli gŵr a phlentyn flwyddyn yn ôl ddim fel colli ffrind. Mae'r dolur yn aros. Na, doedd gen i ddim dewis."

"Oedd, mi oedd gen ti ddewis. Ond gwranda. Fedri di ddim galaru am Gruff drwy gydol dy fywyd. Does dim diben byw efo drychiolaeth. 'Gad i'r meirw gladdu eu meirw'. Ti'n cofio?"

"Ydw. Ond dwi'n synnu atat ti'n dyfynnu o'r Ysgrythurau."

"Mae gen i ryw frith gof ohonyn nhw."

"Dwyt ti'n ddim yn dallt."

"Rwyt ti'n iawn fan'na. Dydw i ddim yn dallt . . . A phaid ag edrych mor drist. Roeddet ti'n llawn sbonc yn Ardal y Llynnoedd. Be sy wedi digwydd i ti? Wyt ti'n pryderu am Gerald?"

"Dyna'r drwg. Mi *ydw* i'n pryderu, ac yn ei chael hi'n anodd maddau i mi fy hun am fod mor angharedig â'i wrthod."

"Ŷf dy de cyn iddo oeri."

Fe wnaeth, a thywalltodd Liz gwpanaid arall iddi.

"Hwyrach dy fod ti'n ei garu o mewn gwirionedd, ond yn anfodlon cydnabod hynny."

"Nac ydw, wir i ti."

"Mewn gair, cariad, rwyt ti'n dy frifo dy hunan am beri siom i Gerald. Wel, paid. Thâl hi ddim i fod yn rhy sensitif. Fedri di ddim treulio gweddill dy fywyd yn pryderu am Gerald ac yn hiraethu am Gruff. A chofia mai 'mrawd i ydi o. Dwi'n poeni amdano hefyd . . . Liciet ti i mi roi tipyn o gyngor i ti?"

"Wel?"

"Gwertha'r tŷ a symud i fflat. Mae'r tŷ yn rhy fawr o lawer i ti, a thra byddi di'n byw yno, mi fyddi di'n dal i hel meddyliau a thosturio wrthot dy hun."

"Mi ystyria i'r peth."

Talodd Liz ac ymadawsant.

Pan aeth hi i fwrw'r Sul ym Mheniarth yr un oedd cyngor ei mam — gwerthu'r tŷ a dechrau o'r newydd. Dyna ddywedodd Liz, meddai Gwen.

"Mae honna'n ferch gall. Ond Gwen, annwyl, rwyt ti'n ddigon hen i benderfynu drosot dy hun yn lle dibynnu ar gyngor pobol erill. Be sy wedi digwydd i ti? Ro'n i'n meddwl dy fod ti wedi dŵad dros dy brofedigaeth."

"Ro'n i'n dechre. Ond dyma Gerald yn gofyn i mi 'i briodi."

"Gobeithio na wnest ti gamgymeriad yn ei wrthod. Mi wn i be faswn i wedi'i wneud. Ond ti sy'n gwbod ore."

"Fasech chi wedi ailbriodi flwyddyn ar ôl colli Tada . . . a phlentyn?"

"Ella ddim mor fuan â hynny. Ond hwyrach yn nes ymlaen."

Roedd hi'n dechrau blino ar drafod y pwnc, yn gyntaf â hi ei hun ac yna â Liz a'i mam. Ond braf oedd bod gartref eto ar yr hen aelwyd yn mwynhau egwyl dderbyniol ar ganol tymor hir a'r gaeaf ar y trothwy, a'r staff a'r plant fel ei gilydd yn edrych ymlaen at y 'Dolig. Cyn hir byddai'r porfeydd yn colli eu glesni iraidd a'r tirlun yn troi'n oer ac yn foel. Roedd y dail eisoes yn dechrau crino, ac ar fyr o dro edrychai'r coed yn noethlymun, fel ysgerbydau yn aros am eu hatgyfodiad yn y gwanwyn. Credai fod Liz a Mam yn llygad eu lle. Y peth gorau fyddai gwerthu'r tŷ, er gwaetha'r rhwyg, a'i rhyddhau ei hun o un o'r cadwyni a'i llyffetheiriai wrth y gorffennol. Waeth pa mor boenus y byddai, rhaid oedd wynebu'r dyfodol yn hytrach na pharhau i alaru byth a hefyd am yr hyn a fu. Roedd hi'n dal yn ifanc a'r rhan fwyaf o'i bywyd o'i blaen. Os gwnaethai gam â Gerald, ni fedrai newid hynny rŵan, ac ofer oedd parhau i ofyn a wnaethai gam â hi ei hun yn ogystal.

§

Nid oedd gan Gruff fuddsoddiadau, ond roedd wedi'i yswirio'i hun yn dda, a rhwng ei chyflog hi a'r swm sylweddol a ddaethai i'w rhan o werthu'r tŷ nid oedd Gwen yn brin o arian, a daeth o hyd i fflat gyfforddus a weddai iddi i'r dim. Cadwodd beth o'r dodrefn a gwerthu'r gweddill. Gwerthodd lawer o lyfrau — yn cynnwys llyfrau meddygol Gruff — i lyfrwerthwr yn Lerpwl.

O fewn tair blynedd priododd Liz â deliwr mewn cyfranddaliadau a stociau da ei fyd a mynd i fyw i Maidenhead. Câi Gwen newyddion am Gerald ganddi hi. Priododd hwnnw ferch i fasnachwr Seisnig yn Buenos Aires, ond amheuai Liz nad oedd yn hollol wrth ei fodd. Roedd ei wraig rai blynyddoedd yn iau nag ef, a'i mam yn Archentwraig o dras Sbaenaidd. Parhâi i holi am Gwen o dro i dro. Fe'i denwyd ef gan fywiogrwydd a phrydferthwch Isabel, meddai Liz. Cymdeithaswraig — *socialite* — ydoedd, yn mwynhau *dolce vita* a bywyd lliwgar a moethus y set ffasiynol Seisnig a Sbaenaidd, ond nid achwynai Gerald am hynny. Ddwy flynedd ar ôl ei phriodi darganfu ei bod yn cael *affair* gydag uwchgapten yn y fyddin. Soniodd am gael ysgariad, ond roedd yna anawsterau. Druan o Gerald! Pe bai hi wedi ei briodi buasai'n ddedwyddach dyn, a hwyrach y buasai hithau'n hapusach yn ogystal. Ond câi foddhad a llawenydd o weld cenedlaethau o'i disgyblion yn llwyddo yn eu harholiadau ac yn torri cwysau iddynt eu hunain. Ymhen y rhawg fe'i hapwyntiwyd hi yn ddirprwy brifathrawes, a phenderfynodd ymchwilio ar gyfer doethuriaeth.

§

Fesul un torrwyd yr hen gysylltiadau. O bryd i'w gilydd câi air oddi wrth Liz yn ei hatgoffa o'r dyddiau gynt, a rŵan ac yn y man byddai'n ymweld â hi ym Maidenhead. Cyn iddi briodi aent yn achlysurol i Eryri i ddringo, ond ar ôl ymadawiad Liz rhoes Gwen y gorau i ddringo a dechrau chwarae golff yn lle hynny. Parhâi i hiraethu am Gruff ond heb y chwithdod a'i poenai gynt. Ni wyddai ddim mwy am ei chyn-gyfeillion yn Aberwysg; a oeddynt yn dal yn fyw, wedi ymddiswyddo neu wedi symud i ysgolion eraill? Nid oedd Joan bellach ar dir y byw i roi gwybodaeth iddi. Yn raddol ymbellhaodd ei phrofiadau a'r bobl a adwaenai gynt, ac ar ôl deng mlynedd o weddwdod daeth i arfer â byw heb Gruff ac, er cywilydd iddi, teimlai ei fod ef ymhlith y pethau diflanedig. Ond o bryd i'w gilydd deuai pwl o hiraeth drosti a dygai i gof yr amseroedd llawen, ac er ei gwaethaf fe'i câi yn anodd mygu'r dagrau. Na, nid oedd wedi gollwng ei afael ynddi. Efô yn unig o'i chariadon a barhâi'n rhan anwahanadwy ohoni. Pe bai hi wedi priodi Gerald byddai erbyn hyn yn wraig i lysgennad yn un o wledydd Llychlyn. Hwyrach iddi wneud camgymeriad dybryd wedi'r cyfan, meddyliai, wrth edrych yn ôl, ond seithug oedd ei cheryddu ei hun rŵan.

Ar ôl pymtheng mlynedd yn yr un ysgol, a hithau bellach wedi ennill ei doethuriaeth, credai ei bod yn bryd iddi chwilio am swydd arall cyn iddi fynd yn rhy hen. Gallai rhywun ymgynefino gormod â'r hen drefn a dod yn rhan o'r dodrefn, megis, a cholli sbonc wrth ddal ymlaen yn yr un rhigolau am flynyddoedd bwygilydd. Hoffai ddychwelyd i Gymru ac ailddarganfod ei gwreiddiau, ond prin oedd y cyfle i athrawes yn nesáu at ganol oed; roedd yn rhatach i'r awdurdodau addysg gyflogi pobl ifainc yn syth o'r coleg, yn hytrach na rhai fel hi a oedd eisoes wedi cyrraedd uchafbwynt ei chyflog. Prinnach fyth oedd yr ysgolion i ferched ac nid oedd am ddysgu mewn ysgol gyfun mewn ardal ddiwydiannol hyd yn oed pe byddai swydd i'w chael.

Pan welodd swydd prifathrawes yn ysgol breswyl Robert Williams mewn tref ar arfordir Gogledd Cymru yn cael ei hysbysebu, penderfynodd ymgeisio amdani, ond heb fawr o obaith o'i chael. Amheuai na ddewisid hi gan na fuasai mewn ysgol debyg i Roedean, Cheltenham Ladies' College, neu

134

St Leonards' yn yr Alban, ac oherwydd mai yng Nghymru yr oedd wedi graddio ac nid yn Rhydychen na Chaer-grawnt, ond er iddi golli pob arlliw o leferydd cefn gwlad medrai droi yn ôl iddo pan ymwelai â'r fro. Nid bradychiad mo hyn, eithr canlyniad naturiol i'r ffaith iddi ddysgu Saeson mewn ysgol Seisnig gyhyd. Serch hynny, fe'i cynhwyswyd ar y rhestr fer, a phan aeth am gyfweliad, roedd yn amlwg iddi wneud argraff ar y llywodraethwyr, Roedean neu beidio. Ar wahân i'w phrofiad a'i chymwysterau academaidd rhagorol, y cymhwyster a drodd y fantol o'i phlaid oedd ei hoffter o ddringo, gan fod gan yr ysgol glwb mynydda, a dangosodd hithau barodrwydd i ymddiddori ynddo. Fe'i penodwyd i'r swydd.

Epil cyfoethogion oedd mwyafrif y pedwar cant a deg o enethod, gan gynnwys un ar ddeg o Gymry yn ddisgyblion dyddiol a rhai a enillodd ysgoloriaethau gwaddoledig hael, a mawr oedd llawenydd Gwen o ganfod bod eu rhieni am iddynt gael gwersi Cymraeg. Er mai Saeson oedd y staff, ac mai naws Seisnig oedd i'r ysgol, doedd hynny ddim yn ei phoeni. Fe fu'n athrawes mewn ysgol yn Lloegr am flynyddoedd lawer, a honno'n ysgol ac iddi enw da. Edrychai ymlaen yn awchus yn awr at gychwyn cyfnod newydd yn ei hanes.

§

Ymgynefinodd yn fuan â'r drefn newydd. Ailgydiodd yn y dringo a fwynhâi gymaint gynt, ac er gwaethaf ei chanol oed — yn chwech a deugain — roedd hi mewn cyflwr da, a phleser o'r mwyaf oedd cynorthwyo'r athrawes mabolgampau wrth fynd â'r merched i Eryri a'u hyfforddi ar yr esgyniadau cymharol hawdd y buasai'n gyfarwydd â hwy yn y dyddiau gynt. Ni feiddiai eu tywys ar y rhai gwirioneddol anodd a'i denai pan oedd Gruff yn fyw, er nad oedd hi'n araf nac yn anystwyth nac yn llai mentrus. Ond hi oedd yn gyfrifol am ddiogelwch y merched, a phe digwyddai damwain ddifrifol, heb sôn am un angheuol, arni hi y byddai'r bai. Wrth reswm, gallai damwain lai difrifol ddigwydd. Un gaeaf aeth parti o enethod, ynghyd â'r athrawes chwaraeon a dosbarthiadau o ysgolion eraill, i Awstria am ddeng niwrnod o sgio, a thorrodd un ohonynt ei choes. Ni fynnai er dim i'r fath beth ddigwydd yn Eryri, er na fyddai'n drychineb. Gallai'r fath ddamwain ddigwydd yn yr ysgol wrth chwarae hoci, o ran hynny.

Safai'r ysgol ar gwr tref led brysur, a châi Gwen gyfle i gyfranogi o'i hamrywiol weithgareddau, nid yn unig yn rhinwedd ei swydd fel prifathrawes ysgol adnabyddus, ond hefyd yn ei bywyd preifat. Er mai lleiafrif oedd y Cymry Cymraeg yn y dref lan-y-môr hon ar y *costa geriatrica*, chwedl y llysenw a roddwyd iddi gan genedlaetholwyr pybyr a gwrth-Seisnig, ac mai ysgol i ferched y Saeson hynny a fedrai fforddio talu dros dair mil o bunnoedd y flwyddyn am eu haddysg ydoedd, eto i gyd roedd hi'n falch o berthyn i'r gymuned Gymraeg. At hyn, cynhelid ambell gyngerdd gan Gerddorfa Philharmonic Lerpwl a phythefnos o operâu ym mis Mehefin yn y sinema fawr a chynhelid dramâu yn y Theatr Fach. Cymerai ran flaenllaw yng Nghymdeithas Gerdd y dref ac oherwydd hynny bu'n llywydd arni am dair blynedd yn y saithdegau. Ychydig iawn o Gymry Cymraeg a gefnogai honno, er mawr ofid iddi. Mynychai Ŵyl Gerdd Gogledd Cymru yn flynyddol gan sylwi mai Saeson oedd canran llethol cefnogwyr honno hefyd. Prin y clywid gair o Gymraeg yno.

Eto i gyd, serch ei hymdafliad egnïol i mewn i weithgareddau'r dref — cyn belled ag y caniateid hynny gan ei gwaith — nid oedd Gwen yn hollol fodlon ar ei byd, fel pe perthynai i ddau fyd heb fod yn gyflawn aelod o'r naill na'r llall. Golygai bod yn brifathrawes ar ysgol Seisnig annibynnol ei bod ychydig ar wahân i naws ac addysg a mudiadau Cymreig. Ynys o seisnigrwydd o fewn cymdeithas bur anghymreigaidd oedd yr ysgol, yn gwasanaethu cenedl na pherthynai iddi, a theimlai Gwen ar brydiau mai lled anodd oedd dal i gadw gafael yn ei gwreiddiau, er y buasai hynny'n anos fyth pe bai hi wedi priodi Gerald.

Bob yn un ac un ymddatododd y clymau. Roedd rhieni Gruff wedi marw, a dim ond yn achlysurol y gwelai Gwenda — honno, fel hithau, yn ddynes ganol oed erbyn hyn. Âi i Beniarth o dro i dro, ond prinhaodd ei hymweliadau oddi ar farwolaeth ei mam. Rhwyg dirfawr fu ei cholli, oherwydd buont yn glòs iawn. Trallod oedd ei marw o gancr y coluddion, un o'r melltithion hynny, meddyliodd, a barai i rywun wrthryfela yn erbyn mympwyoldeb ac anghyfiawnder bywyd, megis y leukaemia a gipiodd Joan ymhell cyn iddi gyrraedd ei chanol oed.

Roedd Ieuan, ei brawd, yn Gynghorwr Sir ac yn ŵr pwysig ym myd amaeth. Ni hoffai Gwen ei wraig Blodwen; un anghynnes fu hi erioed, ac fe fu eu dau fab yn swrth a di-feind eu hymarweddiad tuag ati hi pan oeddynt yn ieuanc, fel pe baent yn credu bod pobl hŷn yn perthyn i rywogaeth ddieithr ac ar wahân ac na allent gyfathrebu â hwy. Llugoer, ar y cyfan, oedd y croeso a dderbyniai ar ei hen aelwyd. Ei thad yn unig oedd yn falch o'i gweld. Priodolai anghyfeillgarwch ei brawd i'w anghymeradwyaeth ohoni'n mynd i ddysgu yn Lloegr a'i bod yn awr yn brifathrawes ar ysgol breswyl i Saeson yn bennaf. Er gwaethaf hynny, ni fwriadai Gwen dorri'r rhwymyn rhyngddi a'i chartref.

Weithiau fe'i trewid gan bwl o hiraeth am Gruff ond, ar ôl ugain mlynedd o weddwdod a phrysurdeb, tueddai ei hatgofion i encilio i'r cysgodion. Roedd cymaint o bethau i fynd â'i bryd fel nad oedd amser ganddi i goleddu tristwch a hiraeth am y gorffennol. Er hynny, yn ei horiau hamdden, ni fedrai lai na gofidio am dreigl y blynyddoedd a hithau heb fedru rhannu ei bywyd â Gruff. Serch ei gwaith a'i hamrywiol ddiddordebau, doedd dim byd yn llenwi'r bwlch a adawodd ar ei ôl, ac wrth gyrraedd ei phumdegau, gofynnai iddi'i hun a fu hi'n gall yn gwrthod Gerald. Ni ofynnodd neb wedyn iddi ei briodi, er na chollasai ei dengarwch — yn ei thyb ei hunan, p'run bynnag. Gofalai am ei golwg a gwisgai'n dda a chael trin ei gwallt yn siop drin gwallt orau'r dref. Wrth reswm, roedd yn britho, ond roedd hynny fel petai'n ei gwneud yn fwy deniadol. Gan ei bod yn cerdded llawer, ac yn chwarae golff, ac yn dringo mynyddoedd yn awr ac yn y man, roedd ei chorff mewn cyflwr da, ac ni chollasai ei gruddiau eu gwrid. Gwyddai fod heneiddio'n anochel — er na fynnai gydnabod hynny — a phenderfynodd ymddeol yn gynnar er mwyn rhoi cyfle i rywun iau a hefyd er mwyn iddi allu fwynhau ei hymddeoliad tra'i bod yn weddol ifanc.

Gallai ymffrostio yn ei llwyddiannau. Hi a gymhellodd yr athrawes gerddoriaeth ddawnus i ailsefydlu'r gerddorfa ryw wyth neu naw mlynedd ynghynt, wedi cyfnod o ddihoeni, ac yma, yn ei hysgol hi, y meithrinwyd athrylith o bianydd byd-enwog, Eleri Price. Ŵyres oedd hi i'r hen Dan Price, Plas Tanat, chwedlonol a fu farw yn ei nawdegau. Enillodd Eleri ysgoloriaeth i'r Coleg Cerdd Brenhinol yn Llundain a gwobr Gŵyl Gerdd yr Ifainc yn Birmingham ar ddechrau'r saithdegau, a daeth i'r amlwg drwy lenwi'r bwlch ar fyr rybudd pan drawyd y pianydd mawr Pablo Navarro yn wael yn sydyn a chyflwyno ail gonsierto Rachmaninoff yn ei le, ac wedyn enillodd Wobr Chopin yn Warsaw. Hyhi oedd pianydd gorau Cymru, yr unig un a fedrai hawlio ei lle ymhlith unawdwyr blaenaf y byd, ac er y byddai wedi cyrraedd yr ucheldir hwnnw i ba ysgol bynnag y byddai wedi mynd, ymfalchïai Gwen yn y bri a gyflwynodd i Ysgol Robert Williams. Er iddi deithio mor bell o'i bro gysefin, i Tonhalle Zürich, Concertgebouw Amsterdam, Carnegie Hall Efrog Newydd, a neuaddau cyngerdd Llundain, Manceinion, Lerpwl a Glasgow, a hedfan i Moscow, Buenos Aires, a Tel Aviv, a mannau eraill, nid anghofiodd ei gwreiddiau. Gwnâi ei gorau, rhwng ei hamrywiol gyhoeddiadau, i bicio draw i Blas Tanat at ei brawd Rhys Tudur, i ymweld â Llanddogfan, a mynd i'r Pistyll a dringo'r Gader, fel y gwnâi yn ei llencyndod. Roedd Gwen hithau yn falch nad oedd llwyddiant wedi'i difetha. Gem yng nghoron Ysgol Robert Williams oedd Eleri.

Yr ail beth y gallai ymffrostio ynddo oedd y clwb mynydda yr oedd wedi ymddiddori ynddo o'r cychwyn cyntaf. Clwb bychan ydoedd nad apeliai ond at nifer cymharol fychan o'r genethod. Ond ymunodd rhai o bob to o ddisgyblion ag ef. Addurnwyd cyntedd mawr yr ysgol gan ddarluniau o noddwyr a chynbrifathrawesau, a chan luniau o ddisgyblion yn dringo yn yr Alpau a mynyddoedd Eryri a Lloegr a'r Alban. Gwnaeth ei gorau ar hyd y blynyddoedd i'w calonogi. Ar y dechrau fe'u hyfforddodd ei hun, ac yna trefnodd i ddringwyr mwy profiadol a phroffesiynol wneud hynny.

Heblaw'r gweithgareddau hyn, a ystyrid gan rai i fod yn weithgareddau ymylol, gallai Gwen fod yn falch o lwyddiannau academaidd ei disgyblion hefyd. Nid bod pob un ohonynt yn ddisglair, wrth gwrs, mwy nag mewn unrhyw ysgol arall, ond ar y cyfan roedd y safon yn uchel. Ar y bwrdd rhestr anrhydeddau yn y Neuadd Fawr yr oedd enwau'r merched a enillodd ysgoloriaethau i Rydychen a Chaer-grawnt a phrifysgolion

eraill, yn ogystal ag enwau'r prif ddisgyblion, a ddisgleiriodd
gan amlaf mewn meysydd academaidd yn ogystal ag mewn
cyraeddiadau cyffredinol. Enillodd yr ysgol fri y tu allan i
Brydain ac ymhlith y disgyblion diweddaraf yr oedd dwy o
Nigeria, dwy o'r Iseldiroedd, un o Singapôr, un o India, ac un
arall, er syndod iddi, o Thailand, a hefyd ferch i Uchel
Gomisiynwr un o wledydd y Gymanwlad.

Cyrhaeddai'r flwyddyn ysgol ei hanterth gyda'r Parti Gardd
a'r *Speech Day* pryd y dôi'r rhieni i nôl eu plant ar ddiwedd
tymor yr haf. Ar y cyfryw achlysur byddai Gwen yn ei phriod
elfen. Hi oedd y Pennaeth, Meistres y Seremonïau, megis, yn ei
holl ogoniant. Sgwrsiai ac ysgwyd llaw â'r rhieni i gyd a rhoi
croeso arbennig i ba wleidydd neu uchelwr bynnag a ddôi i
ddosbarthu'r gwobrau ac ynganu ystrydebau priodol, ac yna'u
tywys i'w hystafell breifat i gyfranogi o'r danteithion a
ddarperid yn arbennig ar eu cyfer gan ddisgyblion y dosbarth
gwyddor tŷ. Nid brechdanau cucumer — neu bâst samwn —
bychain tenau yn unig oedd y danteithion hyn eithr teisenni a
chacenni a *petits fours* hefyd, a oedd ynddynt eu hunain yn
gynnyrch celfyddydol a haeddai eu coffáu mewn cerdd dafod a
chân.

Parodd yr achlysuron hyn beth difyrrwch iddi ar brydiau,
megis y tro hwnnw pan ofynnodd rhyw uchelwraig iddi: "I ba
ysgol a choleg yr aethoch chi, Dr Thomas? I Roedean a Somer-
ville?" a sylwodd ar ei siom a'i hanghrediniaeth pan atebodd
Gwen: "Nage. I ysgol ramadeg mewn tref fechan yng nghefn
gwlad Cymru ac i Goleg Prifysgol Cymru yn Aberystwyth."
Hwn oedd y tro cyntaf i'r ddynes wybod bod y fath brifysgol yn
bod. Wel, meddyliodd Gwen, os dyna'r argraff a wnaf ar bobl,
purion. Anfoesgar fuasai gofyn i'r ddynes pa ysgol a phrifysgol a
fynychodd hi.

§

A hithau wedi bod yn brifathrawes am ddeng mlynedd, yn
gyfrifol am les corfforol, academaidd a chymdeithasol y
merched a drosglwyddwyd i'w gofal, penderfynodd Gwen
ymddeol yn gynnar, a braf fyddai mwynhau gweddill ei bywyd

heb y cyfrifoldebau arbennig hynny. Gan y medrai fforddio ymddiswyddo cyn adeg ymddeol, gwell o lawer fyddai gwneud hynny. Rhoddasai ei blynyddoedd gorau i'r ysgol a gosod sylfaen dda i'r sawl a'i dilynai. Ond rheswm cwbl wahanol a'i gorfododd i ymddiswyddo yn y diwedd.

Un bore ym mis Mehefin gofynnodd yr athrawes mabol-gampau, Muriel Andrews, am ei chaniatâd i fynd drannoeth â hanner dwsin o'r merched hŷn am ddiwrnod ar y Snowdon Horseshoe ac am gael defnyddio bws mini'r ysgol. Aelodau o'r clwb mynydda oedd tair ohonynt ac felly nid oeddynt yn ddringwyr dibrofiad. Taith boblogaidd oedd hi o Ben-y-pàs, i fyny at gopa'r Grib Goch ac ymlaen ar hyd-ddi ar fin Crib-y-Ddysgl at gopa'r Wyddfa a dilyn esgair Lliwedd i lawr i Gwm Dyli ac yn ôl i Ben-y-pàs. Parhâi'r daith ryw chwe neu saith awr. Rhoes Gwen ei chaniatâd ar un amod, a hwnnw oedd osgoi'r Pinaclau drwy fynd ymlaen islaw iddynt ar yr ochr ddeheuol. Galwodd y genethod ynghyd ac egluro hynny wrthynt, a rhoesant hwythau eu gair y byddent yn cadw'r amod. Gan fod digon o fwyd ganddynt i'w cynnal am ddiwrnod cyfan, ni ddis-gwyliai Gwen eu gweld yn ôl tan gyda'r hwyr. Gan hynny, mawr oedd ei syndod pan ddychwelasant yn gynt na'r disgwyl mewn cyflwr brawychus a'r athrawes druan bron â thorri i lawr wrth ddisgrifio'r hyn a ddigwyddodd. Aeth popeth yn iawn, meddai, nes cyrraedd y Pinaclau hanner ffordd ar hyd y Grib. Anwybyddodd Margaret Barron y gwaharddiad a'u dringo ar ei phen ei hun; roedd hi wedi aros ar ôl pan aeth y lleill yn eu blaenau. Doedd Muriel Andrews ddim wedi sylwi ar hyn ar y pryd, gan ei bod yn arwain y grŵp, ond, pan sylweddolodd nad oedd Margaret gyda'r gweddill, galwodd arni a dweud wrthi am gymryd gofal. Ond collodd Margaret ei throedle neu ei chydbwysedd, llithro, a methu ei hatal ei hun. Syrthiodd dros y Bwtres i'r Cwm dan sgrechian. Trodd y merched yn eu holau ar unwaith a dychwelyd yr un ffordd ag y daethent i Ben-y-pàs. Ffoniwyd Penygwryd i alw'r gwasanaeth achub a'r heddlu, ac yn y man daethpwyd o hyd i gorff Margaret hanner ffordd i fyny'r clogwyn, ac aethpwyd â hi i'r ysbyty ym Mangor. Teimlai Gwen ei nerth yn ei gadael. Roedd hyn yn drychineb ofnadwy, y peth gwaethaf a ddigwyddodd i'r ysgol erioed, am a wyddai hi. Roedd Margaret yn ddringwr profiadol. Ni ddylai hi, o bawb, fod wedi cael damwain. Ond paham, yn enw popeth, paham nad ufuddhaodd i'w gwaharddiad i ddringo'r Pinaclau? Er mwyn dangos beth a fedrai hi ei wneud, debyg iawn. Go brin iddi ladd ei hun yn fwriadol oblegid rhyw broblem bersonol, megis beich-iogrwydd neu helynt gartref. Ni fu dim yn ei hymarweddiad i awgrymu fod rhywbeth o'i le. Rhaid mai damwain bur oedd hi.

Nid arni hi'r oedd y bai, ebe'r athrawes. Roedd wedi rhybuddio'r genethod cyn gynted ag y cychwynasent ar hyd y Grib Goch, ac roedd pawb ond Margaret Barron wedi ufuddhau a dilyn y trac arferol heb wyro oddi arno. Addefodd y buasai'n well pe buasai wedi dilyn y merched yn hytrach na'u harwain. Pe gwnaethai hynny ni fuasai Margaret wedi mentro ar y Pinaclau.

Roedd y drychineb yn ysgytwad i'r fro ac yn anad dim i'r ysgol, a theimlai Gwen mai hi oedd yn gyfrifol; hi a ganiataodd y daith, a hi oedd y brifathrawes. Ei 'hysgol hi' oedd hon ac i'w gofal hi y trosglwyddwyd Margaret tra oedd hi'n ddisgybl yno. Rhagwelodd y stŵr a ddilynai gyhoeddi'r ddamwain yn y wasg ac ar y radio a'r teledydd. Gan mai i ddisgybl yn ei hysgol hi y digwyddodd y ddamwain echrydus, yn ôl pob tebyg fe gollai'r ysgol ei henw da. Gallai ddychmygu beth fyddai adwaith y Llywodraethwyr, ac ofnai ganlyniad y cwest. Byddai'r bythe-iaid yn cyfarth am ei gwaed a hwyrach am ei hymddiswyddiad. Teimlai'n gorfforol wael ac fel petai ei meddwl wedi fferru.

Crynai ei llais wrth iddi hysbysu'r plant a'r staff o'r drychineb yn y cynulliad boreol drannoeth. Derbyniwyd y cyhoeddiad â distawrwydd llethol, pa un ai mewn gofid neu ynteu fel cerydd mud iddi hi, ni feiddiai dybio — peth o'r ddau, efallai. Yr unig sŵn oedd i'w glywed ar ôl iddi dewi oedd sŵn rhai o'r merched yn nosbarth Margaret yn wylo. Teimlai Gwen fel anifail wedi ei ddal gan fagl a heb fodd i ddianc.

'Marwolaeth drwy anffawd' oedd dyfarniad y Crwner. Holwyd Gwen a'r athrawes chwaraeon yn fanwl ynglŷn â'r amgylchiadau a gallu'r merched i gerdded y Grib a chymwysterau Miss Andrews i arwain y fath daith, a hefyd parthed cyflwr meddyliol ac emosiynol Margaret Barron. Poenus eithriadol oedd gorfod ateb cwestiynau craff y Crwner ac ni wnaeth ei grynhoad ar y diwedd ddim i'w lleddfu. Ni ddylid ystyried Dr Thomas yn gyfrifol am farwolaeth Margaret Barron, meddai, gan iddi wahardd y merched yn bendant rhag dringo'r Pinaclau; yn wir, ar yr amod hwnnw y caniataodd hi'r daith. Yn ail, ni fedrid cyhuddo Miss Andrews o esgeulustra oblegid ailadroddodd hithau'r gwaharddiad cyn cychwyn ar hyd y Grib. Roedd y genethod yn dystion i hyn. Ond eto i gyd, dylasai Miss Andrews fod wedi sicrhau nad oedd neb yn gadael y grŵp yn ei gofal, a hwyrach ped eid ar yr un daith drachefn, gwell fyddai *dilyn* yn lle arwain, fel y gellid cadw pawb yn y golwg, gan gyfyngu'r nifer i dair neu bedair.

Yn sgîl y cwest credodd Gwen y tawelai'r anesmwythyd cyhoeddus ynglŷn â'r drychineb, ond nid felly y bu. Cyhoedd-wyd llythyrau yn y wasg yn mynegi anfodlonrwydd ynglŷn â'r dyfarniad. Cyhuddwyd y Crwner o geisio lleihau cyfrifoldeb y brifathrawes a'r athrawes chwaraeon. Ni ddylid fod wedi caniatáu i'r disgyblion fentro ar fynydd mor beryglus, meddid, lle'r oedd damweiniau angheuol wedi digwydd o'r blaen. Ceisiwyd gwyngalchu ysgol fonedd nad oedd gan neb ond cyfoethogion y fraint o anfon eu plant yno. Roedd hi'n hen bryd i roi pen ar ysgolion annibynnol, ac ati. Doedd dim dewis gan y brifathrawes, honnid, ond ymddiswyddo, ynghyd â'r athrawes chwaraeon. Hwynthwy, yn gyntaf oll, oedd yn gyfrifol am y drasiedi. Ar y llaw arall amddifynnodd rhai y brifathrawes gan ganmol Dr Thomas am safon uchel yr ysgol, a da o beth, meddid, oedd hyfforddi'r disgyblion mewn camp iachus fel mynydda mewn oes pethau megis pop a roc. Ond lleiafrif oedd y rhain.

'Marwolaeth drwy anffawd' — geiriau ffurfiol, oeraidd, nad oeddynt yn celu ofnadwyaeth y drychineb. Prin y cysgodd Gwen. Pwysodd y peth arni fel hunllef, ac wrth ddarllen y cyhuddiad o esgeulustra ac o wneud camgymeriad anesgusodol wrth ganiatáu i'r merched fynd ar y fath daith, penderfynodd nad oedd dim amdani ond ymddiswyddo, serch cefnogaeth y staff a Llywodraethwyr yr ysgol. Arni hi'r oedd y bai, er na ddylai'r Grib fod yn beryglus ond i'r sawl na chymerai ofal. I ferch brofiadol ac nid i ddechreuwr y digwyddodd y drychineb.

Pan hawliodd rhieni Margaret ei hymddiswyddiad, teimlai'n drist a siomedig. Yn drist oherwydd marwolaeth y ferch, ac yn siomedig am mai â choron ddrain — onid oedd hynna'n gabledd — yn hytrach na choron lawryf, y coronwyd ei gyrfa lwyddiannus. Er i'r Crwner ei rhyddhau o unrhyw fai, ni allai ond ei beio ei hun am y drychineb, yn yr un modd ag y byddai cadfridog yn ei feio'i hun am fethiant ei fyddin, neu arweinydd plaid am golli etholiad.

Ei phrofiad tristaf oedd gorfod wynebu rhieni Margaret. Bu'r teulu yn noddwyr ac yn gymwynaswyr i'r ysgol ers dwy genhedlaeth. Ofnai Gwen y cyniweiriai'r boen a'i blino hi weddill ei bywyd. Gwell o lawer fyddai ymddiswyddo'n fuan yn hytrach na brwydro ymlaen dan y baich a'r ymdeimlad o euogrwydd yn ei llethu — ond roedd yn loes calon iddi fod ei gyrfa wedi diweddu, ys dywedodd T. S. Eliot, *'not with a bang but with a whimper'.*

Er gwaetha'r dysteb a'r deyrnged a dalwyd iddi gan y Llywodraethwyr, y staff, a'r prif ddisgybl ar ddydd ei hymddeoliad, roedd hi'n drwmgalon, nid yn unig wrth ganu'n iach i'r ysgol lle y bu mor ddedwydd, ond oherwydd yr amgylchiadau a arweiniodd at hynny. Serch y geiriau caredig a'r addewid y byddai darlun ohoni'n addurno'r cyntedd maes o law, ei bwriad hi, meddai, fu ymddeol cyn cyrraedd yr oedran penodedig, ond prysurwyd ei hymddeoliad gan y drychineb ddiweddar a fu'n ysgytwad i bawb ohonynt. Yn wyneb yr elyniaeth a ddangoswyd gan adrannau o'r cyhoedd, meddai, fe fyddai'n fantais i'r ysgol pe gwnâi hi le i rywun ieuengach i ofalu am barhad ei thraddodiad difrycheulyd, a hyderai y rhoddid i'w holynydd, pwy bynnag y byddai, yr un gefnogaeth a'r cydweithrediad ag a fwynhaodd hi ar hyd y blynyddoedd.

Y noson honno fe'i llethwyd gan ymdeimlad o wacter tebyg i hwnnw a'i cystuddiodd flynyddoedd ynghynt pan ddaeth tro ar ei byd drwy drychineb bersonol, sef marwolaeth Gruff. Pe bai hi wedi llwyddo i'w berswadio i beidio â dringo'r Wetterhorn, ni byddai'r aflwydd hwnnw wedi digwydd, ac oni bai iddi ganiatáu i'r merched fynd ar y daith yn Eryri, ni ddigwyddasai'r aflwydd hwnnw, 'chwaith. A phe na bai Gruff wedi marw, buasai ei gyrfa yn hollol wahanol, ac ni fyddai wedi bod yn brifathrawes ar Ysgol Robert Williams o gwbl. Tybed, meddyliodd, pa un o'r ddau a fyddai wedi rhoi'r boddhad mwyaf iddi — bod yn wraig i Gruff neu wasanaethu cenedlaethau o ferched mewn ysgolion da eu henw? Cwestiwn oedd hwn na fedrai hi mo'i ateb. Yn ei phrofiad hi damweiniau oedd prif achosion y newidiadau yn ei bywyd.

Roedd fel petai'r rhod wedi troi. Dros chwarter canrif ynghynt yn Aberwysg ymddiswyddodd yn sgîl helynt a derbyn teyrnged gan staff yr ysgol honno, a dyma'r union beth yn digwydd i gloi ei gyrfa — teyrnged gan staff Ysgol Robert Williams wrth iddi ymddiswyddo ar ôl math arall o helynt, a hynny yn erbyn ei hewyllys, er ei bod hi'n credu mai dyna'i dyletswydd.

Tybed pa fath o benderfyniad a'i hwynebai yn y dyfodol: nid, gobeithio, cyfyng-gyngor tebyg i'r achosion hyn. A Gerald, y gŵr olaf i'w charu: er ei mawr gywilydd, roedd hi ymron wedi anghofio amdano ef.

5

*Ystrydeb yw dweud bod y cof yn beth rhyfedd, wel, yn fwy na
hynny, yn rhyfeddol,* synfyfyriai Gwen. *Medrwn gonsurio'r
gorffennol mewn eiliad, ond y mae bylchau na fedrwn ni mo'u
llenwi heb i'r dychymyg ein twyllo; byddwn yn cofio profiadau
ffeithiol ac yn ffansïo pethau a allai fod wedi digwydd. Hawdd
yw eu dwyn i gof ac yna eu haddurno a'u goreuro â manylion
dychmygol neu eu creu o'r newydd a chymryd arnom eu bod
nhw'n wir. Ond ar y cyfan dydi'r cof ddim yn ein twyllo ryw
lawer. Dim ond anghofio byddwn ni. Hyd yn oed heddiw, er
enghraifft, edrychaf yn ôl at y diwrnod hwnnw pan ddychwelais i
Beniarth wedi'r wythnos o wyliau efo Gruff, yn llawn sbonc ac
yn teimlo'n eithriadol iach ar ôl yr holl ddringo a cherdded a
mwynhau'r awyr iach, ond hefyd yn falch o gyrraedd fy hen
aelwyd, fel y byddwn bob amser.*

*Drannoeth ar ôl i mi gyrraedd yno o Eryri mi es am dro i fyny
at y ffriddoedd ar fy mhen fy hun ac edrych i lawr ar y dyffryn a'r
tirlun a oedd yn rhan ohonof. Ganed yr ŵyn ychydig yn
ddiweddarach nag ar lawr y dyffryn, a braf oedd eu gweld yn
prancio ac yn chwarae efo'i gilydd a'r mamogiaid yn eu gwylio fel
pe na fynnent golli golwg arnynt. Nid oedd wedi bwrw eira yn y
fan yma fel y gwnaeth yn Eryri; roedd y wlad yn fwyn a glesni'r
gwanwyn yn graddol ddychwelyd ar ôl yr hirlwm, a natur yn
araf ddihuno o'i chwsg gaeaf. Cofiaf y diwrnod hwnnw'n iawn,
ac yn awr dyma fi yn ceisio dwyn i gof fy mhlentyndod a*

145

blynyddoedd yr arddegau, a hyd yn oed heddiw mae gennyf atgofion clir am y cyfnod hwnnw.

Lle digon Seisnig oedd y dref lle yr awn i'r ysgol, fel y bu ers cyn cof. Yn y dref ei hun dim ond ychydig o Gymraeg a glywid, ac eithrio yn y capel. Byddai Nhad a Mam yn mynychu capel yr Annibynwyr fore a hwyr, a minnau'n mynd efo nhw ac i'r Ysgol Sul — defod orfodol na fwynhawn yn fawr. Ond yno byddwn yn cyfarfod â'm ffrindiau, a doedd gennyf ddim gwrthwynebiad i hynny, ond gan fod Nhad yn ddiacon doedd dim dewis. Rhaid oedd i Ieuan a fi fod yn esiampl i blant eraill, meddai Nhad. Ar ddiwrnod marchnad clywid mwy o Gymraeg, ond yn yr ysgol uwchradd, Saesneg oedd biau hi. Credaf fod pethau'n well erbyn hyn, er gwaetha'r Seisnigrwydd cynyddol a'r diwydiannau a gychwynnwyd gan bobl fwy mentrus na ni o'r tu hwnt i Glawdd Offa.

Roedd y Rhyfel Byd Cyntaf drosodd ers deng mlynedd pan ges i fy ngeni. Clywais Nhad yn sôn am y blynyddoedd hynny, fel pe am oes a oedd i mi ymhell yn y gorffennol. Tyfais i fyny yn ystod yr Ail Ryfel, ac mae fy atgofion am y cyfnod hwnnw yn dal yn fyw. Gwysiwyd Emrys, ein gwas ffermr, i fynd i'r fyddin, ac fe gawsom ferch o Fyddin Dir y Merched yn ei le. Lladdwyd Emrys yn Normandi. Ond ar wahân i'r newyddion a'r dogni — ac ni fennodd hwnnw ryw lawer ar ein dull ni o fyw — nid oedd llawer o arwydd rhyfel. Byddai awyrennau'n hedfan uwchben ar brydiau, ond ni wyddem pa un ai rhai'r Luftwaffe neu ein rhai ni oeddynt. Unwaith yn unig y clywsom ffrwydrad, a hwnnw pan syrthiodd bom ryw ddeng milltir i ffwrdd i ganol cae, heb achosi dim difrod. Bu raid i ni roi rhagor o dir dan y swch i dyfu ŷd a llysiau, ond doedd hynny ddim yn beth drwg. Ar y cyfan roedden ni'n well ein byd er gwaetha'r gwaith ychwanegol. Prinder dillad oedd y peth gwaethaf, a bu raid 'make do and mend'. Yr effaith fwyaf a gafodd y rhyfel arnon ni oedd mewnfudiad ifaciwîs o lannau Merswy a chanolbarth Lloegr. Roedd rhai ohonyn nhw yn dra anniben, a rhoesant dipyn o ysgytwad i nyni'r bobl cefn gwlad. "Gwynt teg o'u holau," meddem, yn falch o gael gwared ohonyn nhw pan ddechreusant ddrifftio yn ôl i'w cynefin. Ond arhosodd rhai a dod yn rhan o'r gymdeithas wledig. Dysgodd y plant Gymraeg, a Chymry glân gloyw yw eu disgynyddion.

146

Cofiaf un o'r athrawon fel tipyn o ferchetwr. Gŵr golygus oedd o, yn gloff o ganlyniad i ddamwain i'w goes ar fferm pan oedd yn blentyn, ac felly yn anaddas i fod yn sowldiwr. Dotiodd y genod hŷn ato, a finne yn eu plith. Hogan ddigon digywilydd oedd un ohonom a arhosai amdano wrth iât yr ysgol bron bob pnawn, a chredem mai ei hamcan oedd ei fachu. Ffromodd yr hogan gan genfigen pan roddodd sylw i eneth arall, ac roedd hi'n eitha parod i ymosod arni. Hyd y gwn i ni sylwodd yr athro arna i. Ymadawodd yn ddisymwth, a honnid i rai o'r rhieni achwyn amdano wrth y prifathro. Ni wn i a oedd hynny'n wir ai peidio, ond ymadael yn sydyn a wnaeth.

Roedd Nhad yn ddarllenwr cyson o'r Faner, er na chydsyniai â'i heddychaeth a'i hagwedd negyddol at y rhyfel — 'Rhyfel y Saeson' ydoedd, nid rhyfel y Natsis yn erbyn gwareiddiad Ewropeaidd. Weithiau dilewyd rhannau o'r ysgrifau gan y sensor, os cofiaf yn iawn, ac yn ôl y sôn bu golwg graff ar golofn Saunders Lewis. Ond er nad oeddwn yn ddim ond wyth oed pan ddigwyddodd 'Penyberth', roedd o'n un o'm harwyr, ac erbyn mynd i'r coleg roeddwn inne'n genedlaetholwraig frwd.

Ie, dyddiau ieuenctid oedd y rheiny, dyddiau gorau ein hoes na fyddai fyth mo'u tebyg eto, meddyliem ar y pryd, a hwyrach ein bod ni'n iawn. Gydag aeddfedu a heneiddio y daw dadrith a siom, ac mi ges i fy siâr ohonyn nhw, a hwyrach i ni orliwio'r llawenydd. Ac yn wir, blynyddoedd hapus oedd bore oes gartref, ac weithiau hoffwn fynd yn ôl atyn nhw drwy ryw fath o dric amser a'u hail-fyw. Ond hwyrach mai rhamantu ydi hynny; roedd gan lasoed ei broblemau, hefyd.

A dychwelyd at y diwrnod hwnnw pan ddes i adref o'r gwyliau yn Eryri. Nid bod fy mhroblemau wedi'u datrys. Ond mi frwsiais nhw o'r neilltu dros dro. Er i Gruff gyfarfod â'm rhieni pan alwodd i'm nôl i, gwrthododd ddŵad i mewn i'r tŷ y tro hwnnw. Mi fyddai hynny'n edrych, meddai fo, fel pe bai'n ddyweddi i mi, ac nid oedd am wneud camargraff.

Mae bron ddeng mlynedd ar hugain wedi mynd heibio ers yr adeg honno, a dyma fi'n pensynnu uwchben pethe nad ydyn nhw'n bod mwyach ond yn y cof. Ar brydiau byddaf yn cael fy nharo drachefn gan fath o dristwch hiraethus ac yn dechrau meddwl tybed beth fyddwn i rŵan petawn i wedi gwneud pender-

fyniadau gwahanol a phriodi Gerald, er enghraifft, a phe gofynnid i mi heddiw i ganiatáu y daith honno dros Grib Goch ac i fyny'r Wyddfa? Ond ofer ydi meddwl felly.

'Fory bydd Bryan yn dŵad i 'ngweld i, Gwen Thomas, M.A., Ph.D., y gynathrawes a'm llun mewn olew yn addurno cyntedd Ysgol Robert Williams a fydd yno i f'anfarwoli ar ôl i mi 'madel â'r fuchedd hon.

Bryan. Sut un ydi o erbyn hyn, tybed, ar ôl deng mlynedd ar hugain? Does gen i ddim syniad. Mi wn yn iawn sut un oedd o'r adeg honno; sut y gallwn i fyth anghofio ar ôl y profiad hwnnw yn y Gelli a'r ergyd ffiaidd yn Llunden a'r sioc o gael ei lythyr cas a dadrithiol? Profiadau deifiol, ar y naw! Na, dwi ddim yn edrych ymlaen at ei gwarfod o, ond 'mod i'n chwilfrydig i weld sut yr effeithiodd amser arno fo. Fedra i mo'i wahodd i aros dros nos yn y 'stafell sbâr; byddai hynny'n codi drychiolaethau ac atgofion na ddymunwn eu hatgyfodi. Hoffwn i ddim i'r hyn a ddigwyddodd y troeon hynny ddigwydd eto. Ond go brin y gwnaent; rydyn ni'n dau yn hen bobol, bron, a'n gwaed wedi oeri.

Y gwaed wedi oeri. Cyn Oeri'r Gwaed — y llyfr hwnnw gan Islwyn Ffowc Elis a roddwyd i mi wrth i mi adael Aberwysg. Byddaf yn troi ato o dro i dro ac yn dal i fwynhau'r rhyddiaith.

Er gwaethaf fy oedran, dwi ddim fel cangen grin. Dydi fy ngwaed ddim wedi oeri, eto. Nac efallai gwaed Bryan, 'chwaith. Gall atgofion ail-greu awch, ond gobeithio na ddigwyddith hynny 'fory. Dydi pum deg a chwech ddim yn henaint, ac mi fedra i chwarae golff cystal â neb, a cherdded deunaw milltir heb ymlâdd, a dringo esgair Tryfan a thros y ddwy Glyder ac i lawr y Gribin yn hawdd. Medraf, 'tad! . . .

Rhaid croesawu Bryan fel hen gyfaill, os nad fel cariad. Mi af i'r siop delicatessen a phrynu amrywiaeth o sleisiau selsig a darparu pryd o fwyd go dda iddo fo. Mae'n siŵr fod ganddo ddant at bethau blasus, a fynte erbyn hyn, yn ôl pob tebyg, wedi esgyn yn uchel ym myd diwydiant a chanddo chwaeth gosmopolitanaidd. Dyna oedd ei uchelgais, dŵad ymlaen yn y byd, ac yn sicr roedd o'n ddigon penderfynol ac ymwthiol i gyrraedd ei nod. Mi gaf wybod 'fory pa mor bell yr aeth o . . . Hwyrach y caf fy siomi ynddo fo, a fynte ynof fi. Cawn weld.

Ni fedrai fygu rhywfaint o gyffro yn ogystal ag anesmwythyd pan ganodd cloch drws y ffrynt.

"Gwen?" gofynnodd y gŵr yn sefyll ar y trothwy. Dydi'i lais o ddim wedi newid dim, meddyliodd Gwen.

"Ie, pwy arall? Ty'd i mewn."

Safai car mawr sgleiniog, tywyll wrth y giât. Mercedes, debyg iawn.

Ie, dieithryn oedd o, heb ddim arlliw o'r hen Bryan a adwaenai gynt, ar wahân, efallai, i'r llais. Roedd yn borthiannus, ond nid yn dew. Ychydig o'r gwallt du, cyrliog, oedd ar ôl, a hwnnw'n llwydfrith, fel ei gwallt hithau. Pan ddaeth i mewn roedd fel petai'n llenwi'r cyntedd, nid yn gymaint â'i faintioli ond â'i bwysigrwydd llwyddiannus. Cloriannodd Gwen ef ar unwaith. Gŵr oedd hwn a gyraeddasai ben yr ysgol, un a ddygasai'r maen i'r wal ac un a oedd wedi arfer ymwneud â materion mawr a chymhleth a gwneud penderfyniadau cyflym a phellgyrhaeddol.

"Dwyt ti ddim wedi newid llawer," meddai Bryan wrth ei ostwng ei hun i gadair esmwyth yn y lolfa. Tybed ai seboni yr oedd o?

"Fedra i ddim deud hynny amdanat ti."

"Na, wel, mae bywyd yn newid rhywun. Ryden ni'n dau yn hŷn."

"Wrth gwrs. Mae hynny'n digwydd i bawb."

Gobeithiai na fyddai'r ymddiddan yn parhau i fod yn ffurfiol ac ystrydebol. Rhaid iddi hi dorri'r garw.

"Waeth i ti ddeud wrtha i'n syth bin be ddigwyddodd i ti yn ystod y deng mlynedd ar hugain diwetha 'ma. Wedyn mi gei fy hanes inne, os wyt ti'i isio fo."

"Oes gen ti wrthwynebiad i mi smocio?"

"Dim o gwbl."

Tynnodd gas sigarau o'i boced, dewis un a'i chynnau — ar ôl ei harchwilio fel pe na welsai hi o'r blaen a thynnu'r fodrwy bapur goch ac aur oddi amdani.

"Ie, wel . . . Mi ges i job fel cemegwr *research* — ymchwil; dwi ddim wedi siarad Cymraeg ers tro byd. Rhaid i ti fadde i mi am faglu tipyn. Efo British-International Chemicals oeddwn i i ddechre, ac yn nes ymlaen mi ges i 'mhenodi yn bennaeth adran.

Ac yna symud i *administration* a, chan i mi ddangos dawn *managerial,* cefais fwy a mwy o gyfrifoldeb a chael fy nanfon i bob rhan o'r byd, ac ymhen hir a hwyr ces fy ngwneud yn is-gadeirydd. A fi 'di'r cadeirydd, rŵan. Mi fydda i'n ymddeol mewn dwy neu dair blynedd."

"Mi wela i. Rhywbeth tebyg i gadeirydd I.C.I.? Wel, mi fuost ti'n llwyddiannus iawn. Fyddwn i'n anfoesgar 'tawn i'n gofyn i ti faint rwyt ti'n ennill?"

"Mae 'nghyflog i'n *hundred and eighty thousand,* yn debyg i salari cadeirydd I.C.I., ond wrth gwrs, mae gen i incwm go dda ar ben hynny o'm buddsoddiadau ac, ar ôl i mi ymddeol, mi ga i *directorships* mewn cwmnïau eraill, neu yn y *City,* a *golden-handshake* wrth ymddeol."

"Da iawn, mi wnest ti'n dda iawn. Wyt ti ddim yn fodlon ar yr hyn sy gen ti?"

"Mae'r peth yn tyfu. Fel pelen eira. Fedri di mo'i rwystro fo." Pwffiodd ar ei sigâr.

Amneidiodd Gwen, fel un a oedd yn deall i'r dim.

"Roedd sôn am godi fy salari i *two hundred thousand,* ond wrth gwrs mae'r dreth incwm yn mynd â dros hanner hwnnw."

"Ydi, siŵr."

"Ond llai er pan ddaeth y Torïaid i rym. Ddaru nhw ostwng y dreth o *eighty per cent* i *sixty.*"

"Chware teg i'r Torïaid. Mi ddylset ti fod ar dy enill o ugien y cant, felly . . . Be 'di dy gar di? Mercedes?"

"Ie."

"Dyna ro'n i'n feddwl."

"Mae gen i BMW hefyd, 'wsti. Mae'n well gen i geir *continental.* Maen nhw'n fwy *reliable.* Mi gostiodd y Mercedes dros *thirty thousand.*"

"Pam nad oes gen ti Rolls-Royce? Mi fase hwnnw'n ddrutach byth."

"Mi fu gen i Rolls unwaith, ond roedd hi'n llyncu gormod o betrol, ac yn edrych, wel, braidd yn *conspicuous,* yn *showy,* ti'n dallt."

"Rhwysgfawr? 'Ddyliwn i y base hynny'n gweddu i ti."

Torrodd fodfedd o lwch y sigâr i mewn i'r ddysgl yn ei ymyl.

"Wel, Bryan," meddai Gwen wedyn, "rhaid i mi ddeud dy

fod ti wedi dŵad ymlaen yn y byd er pan oeddet ti'n dysgu plant yn Aberwysg. Onid ydi hi'n anarferol i ddiwydiant gyflogi athro?"

"Ydi. Ro'n i'n lwcus."

"Be mae dy gwmni'n gynhyrchu?"

"Cwmni? Mae gynnon ni lawer o gwmnïau cysylltiedig. Rhywbeth tebyg i I.C.I. Cemegon o bob math, cyffuriau, *plastics,* stwff at arddio a ffarmio — pob peth. Taset ti'n gweld *chart* o'n gwahanol adrannau, mi faset ti'n drysu'n lân."

"Ac mae gen ti grap go dda ar bob un ohonyn nhw?"

"Oes, 'tad. Yn gyffredinol, 'wsti. Ac ar yr ochor gyllidol, hefyd. Mae'n rhaid. Dyna ydi busnes. Ac mae gynnon ni gysylltiad â Bayer ac I. G. Farben yn yr Almaen a *subsidiaries* mewn llawer o wledydd."

"Un o'r *multinationals.*"

"Ie, wrth gwrs."

"Beth am dy fywyd personol, os oes gen ti un?"

"O, hwnnw? Does gen i fawr o amser i hynny. O, mi wela i be wyt ti'n feddwl . . . Mi briodais. Bu 'ngwraig farw o *multiple sclerosis* ar ôl bod yn ddiymadferth am ddwy flynedd; roedd yn fendith iddi, a dweud y gwir, ac i finne, hefyd. Peth ofnadwy ydi gwylio rhywun yn diodde. Roedd gynnon ni un mab. Mi aeth hwnnw i Rugby a Chaer-grawnt. Cyfrifydd siartredig oedd o, â dyfodol addawol iawn, ond fe drodd yn alcoholig. Roedd yn rhaid iddo gynrychioli'r cwmni ac entertênio llawer ac aeth yn rhy hoff o'r botel. Collodd ei swydd a'i wraig a'i ddau blentyn — mi ddaru ei wraig ei ysgaru. Cafodd driniaeth mewn ysbyty i *alcoholics* a bu'n 'sych' am flwyddyn, ac yna mi gwympodd eto. Cafodd ei ladd mewn damwain ar yr M.1. Roedd o'n gyrru'n wyllt, medden nhw, ac aeth i wrthdrawiad â lori gymalog oedd wedi swyrfio ar draws y ffordd."

Druan o Bryan! meddyliodd hi. Chest ti fawr o lawenydd er gwaetha dy gyfoeth a'th lwyddiant.

"Na, dydi bywyd ddim yn llawenydd i gyd," meddai, fel pe'n darllen ei meddyliau. "Mae gen i *yacht* yn Antibes, ac mi fydda i'n entertênio pobol bwysig ynddi hi, ac ati, ond dydi hynny ddim yn llanw'r bwlch. Na, dydyn ni ddim yn cynnal *sex-orgies* ynddi fel y mae miliwnyddion mewn ffilmiau a nofelau. Dim

byd felly. Ryden ni mor rispectabl â chynhadledd o
Bresbyteriaid, ond ein bod ni'n siarad am bethe gwahanol iawn.
Ond dwi ddim yn byw fel *ascetic,* cofia, ond yn trio mwynhau
bywyd cystal ag y medrai i . . . Wel, dyna dipyn o'm hanes i.
Beth amdanat ti? Dwi'n glustie i gyd."

Rhoes iddo fraslun o'i gyrfa gan sôn am y boen a barodd o
iddi pan roddodd y gorau iddi, am ei phriodas a'i cholled, ac am
y blynyddoedd diwethaf o fod yn brifathrawes.

"Ryden ni'n dau yn yr un cwch, felly," meddai Bryan.

"Mewn dau gwch gwahanol iawn, faswn i'n meddwl. Ond sut
y dest ti o hyd i mi . . . a pham?"

"Meddwl o'n i y byddai'n braf cael sgwrsio am y dyddiau
gynt, a finne'n andros o unig, fel dyn ar ei ben ei hun ar ben
mynydd a neb yn gyfartal â fo. Mi ges i waith dy ffeindio di, do.
Cysylltais ag undebau'r athrawon a methu'n lân â dŵad ar dy
drywydd am hir. Yna cael gwybod bod rhyw Mrs Gwen
Thomas yn dysgu yn Sir Amwythig, ond fe 'ddyliais i 'rioed mai
ti oedd honno. Sut y medrwn i? Gallase hi fod yn Gwen Smith
— neu unrhyw beth — cyn priodi. Doedd neb yn fodlon rhoi
gwybodaeth i mi, neu fedren nhw ddim. Hwyrach fod hynny'n
naturiol. Yna, sgwennais i ysgol Aberwysg i holi amdanat ti,
ond doedd yr ysgrifenyddes yn gwybod dim. Roedd yn rhy bell
yn ôl, medde hi, a hithe ddim ond wedi bod yno ers tair blynedd
. . . Ti'n cofio Jenkins History? — hwnnw gadd ei 'pwyntio
'run pryd â thi? Wel, roedd o'n dal i fod yno ddwy flynedd yn ôl,
ond yr unig beth a wydde hwnnw oedd dy fod ti wedi 'madel i
ganolbwyntio ar gael dy M.A., a hynny'n sydyn iawn. Yna, un
diwrnod, a minnau'n chwilio drwy hen gopïe o *Whitaker's
Almanack,* gwelais fod Gwen Thomas yn brifathrawes ar Ysgol
Robert Williams. Mi sgwennais at yr ysgol a chael ateb yn
dweud dy fod ti wedi ymddeol, ond roedd ganddyn nhw *dossier*
ar dy yrfa, a thrwyddyn nhw y ces i dy gyfeiriad. Mi ddaru nhw
gyfeirio atat fel Mrs Thomas a Dr Thomas."

"Thomas oedd enw fy ngŵr hefyd. Ond pam y cymeraist ti
gimint o drafferth i fy ffeindio i? Roedd o'n waith ofnadwy."

"Oedd, ro'n i fel ditectif yn chwilio am gliwie. Cofio am y
dyddiau gynt, a'r blynyddoedd yn mynd heibio a finne'n
teimlo'n unig."

"A meddwl y base 'ngweld i eto yn dipyn o gysur i ti, ar ôl yr holl amser? Ac er gwaetha dy gyfoeth?"

"Ie. Dydi hynny ddim yn bopeth."

"Nac ydi, siŵr."

Gollyngodd fodfedd arall o lwch sigâr i'r ddysgl ludw.

"Ie, cofio am y dyddiau gynt," meddai drachefn.

"Fel y Gelli?"

"Ie."

"A'r tro hwnnw yn Llunden?"

"Gwell anghofio hwnna."

"Ond fedrwn ni ddim."

"Hen hanes ydi hwnna. Ddeng mlynedd ar hugien yn ôl."

"Ie. Wel 'te, am beth wyt ti isio sgwrsio? Mi roddaist dy hanes i mi, ac mi gest ti fy hanes i yn fras."

Serch ei hunanhyder, edrychai Bryan braidd yn anesmwyth, meddyliodd Gwen, fel pe bai ar fin dweud rhywbeth ond yn petruso.

"Beth am fynd i rywle am ginio heno? Mae 'na le go dda heb fod ymhell o fan hyn. Bryn Hyfryd."

"O, mi wyddost am hwnnw? Mi wnest dy waith cartre yn drwyadl."

"Do. Mae hynny'n ail natur i mi. Bod yn gyfarwydd â'r tir ymlaen llaw, ti'n gwbod. Wel, ddoi di?"

Ysgydwodd ei phen.

"Mae'r bwyd yn dda, yn ôl y sôn, a'r olygfa dros y dyffryn yn ardderchog. Ond dwi wedi darparu swper i ni fan yma."

Edrychai Bryan yn siomedig.

"Ro'n i isio rhoi cinio *slap-up* i ti."

"Mi gei di swper *slap-up* efo fi. Mi gostith cinio yn Bryn Hyfryd dros ddecpunt yr un."

"*Peanuts* ydi ugien punt i mi."

"Mae o'n swnio'n llawer i mi. Ond hen athrawes wedi ymddeol yn gynnar ydw i. Mae'n safonau ni'n wahanol. Ble'r wyt ti am aros heno? Mae'n ddrwg gen i, does 'na ddim lle i ti gysgu fan hyn."

"Mae 'na westy *three-star* RAC yn y dre. Y Clwyd Arms. Mi arhosa i yn fan'no."

"Mi fyddi di'n fwy cyffordddus na phetaset ti'n cysgu ar y

soffa, a thithe wedi arfer aros mewn Ritz-Hiltons. Am faint fyddi di'n aros?"

"Dim ond tan 'fory neu drennydd. Mae gen i fusnes ar lannau Merswy, yn Runcorn . . . Roedden ni'n caru'n gilydd gynt," meddai'n ddisymwth. "Wyt ti'n cofio?"

"Dyna gwestiwn di-chwaeth. Roeddwn i'n dy garu di er gwaetha d'ymddygiad cywilyddus yn Llunden. Ond dwn i ddim amdanat ti. Doedd yna fawr o gariad yn y llythyr 'na sgwennaist ti ata i ar ôl i ti adael Aberwysg. Yn wir, mi ddudest ti nad oeddet ti'n fy ngharu. Ar y pryd mi ysgydwyd fy mywyd i'w sylfeini. Ond gwell i ni beidio â siarad am hynny rŵan. Dwi ddim yr un ddynes ag oeddwn i bryd hynny, ar ôl deng mlynedd ar hugien, a dwyt tithe ddim yr un dyn, 'chwaith. Mae amser yn newid pobol. Mi gest ti dy lwyddiant a chyflawni d'uchelgais, ac mi ges i fy llwyddiant, hefyd, er nad yn ariannol. Ond mi ydw i'n weddol gyfforddus. Does gen i ddim achos pryderu . . . Wel, gorffen dy Corona-Corona neu Havana-Havana . . ."

"Henry Clay ydi hi."

"Waeth gen i be 'di hi. Gorffen hi, ac mi gawn ni bryd o fwyd. Mi alwa i arnat ti pan fydd popeth yn barod."

Fe'i gadawodd a mynd drwodd i'r ystafell fwyta.

Tybed beth oedd gwir amcan yr ymweliad? Hwyrach y gobeithiai Bryan rychwantu deng mlynedd ar hugain a gofyn iddi ei briodi. Synnai hi ddim. Roedd yn amlwg ei fod yn ddyn a oedd yn arfer cael ei ffordd ei hun, yn un o farwniaid diwydiant, megis, a phawb arall yn ddeiliaid iddo. Roedd yn hawdd adnabod y teip. Mynnai gael pob peth, ac roedd yn fodlon talu'r pris, neu orfodi pobol erill i dalu'r pris. Cyfrifai nid mewn cannoedd o bunnoedd, fel y gwnâi hi, ond mewn miliynau neu ugeiniau neu gannoedd o filiynau, fel pe bai'r byd ar flaenau'i fysedd neu yng nghledrau ei ddwylo. Roedd ganddo Fercedes a BMW, tra bodlonai hi ar ei hen Mini. Dyna, yn fyr, swm a sylwedd y gwahaniaeth rhyngddynt. Ond roeddent wedi blasu pleserau cyrff ei gilydd; yntau wedi treiddio ei chorff hi a hithau wedi gorfoleddu yn yr orawen. Dyna'r cwlwm oedd rhyngddynt, *nexus* y cnawd na fedrai dim ei ddadwneud. Anodd credu hynny, rŵan, ond do, fe ddigwyddodd, a charai Bryan i'r eithaf ar y pryd. Anodd credu hynny, hefyd, erbyn hyn, ond roedd yn wir. Tybed a oedd yr hen serch wedi atgyfodi ynddo, wedi'r holl amser, ac yntau heb feddwl amdani yn y cyfamser? A oedd ei unigrwydd a'r atgof am yr hyn a fu wedi ei ailgynnau? Ond yn y llythyr hwnnw addefodd nad oedd o'n ei charu, dim ond ei fod yn hoff iawn ohoni. Wel, hoffter, 'te. Unwaith yr oedd serch wedi marw, nid oedd dim atgyfodiad, am a wyddai hi, dim ond drychiolaeth yn cyniwair o'r cysgodion.

Agorodd baced o *Vollkornbrot*, bara grawn cyflawn a fewnforiwyd o'r Almaen, a dodi'r tafellau ar blât. Gobeithio y byddai at ei ddant. A thafellau o fara gwyn a brown. Oedd, roedd y lluniaeth yn atyniadol — plataid mawr o sleisiau selsig *cervelat,* selsig garlleg, selsig iau, a selsig ham a salami o Hwngari; sleisiau o gig moch ac eog mwg, a'r cwbl wedi'u haddurno gan gucumer wedi'i biclo, tomato, ac wy berw caled; dysglau o salad cymysg a *coleslaw* a chaws Emmental a Brie. O, roedd hi wedi anghofio rhoi pedair sleisen o selsig Krokowska ar y plât. Nid gwiw anghofio gwlad Pwyl yn y lluniaeth rhyngwladol yma. Fe'u torrodd a'u dodi ar y plât. Roedd y lluniaeth yn lliwgar, beth bynnag. Ac i orffen byddai fflan mefus ffres a hufen tew. Gobeithio y gwnâi'r gwin *Niersteiner Gutes Domtal* y tro i Bryan, a oedd yn dipyn o arbenigwr. Roedd o'n felysach na gwinoedd y Rheinland, ar y cyfan. Brandi a choffi i ddilyn. Yn bur anaml y trafferthai i ddarparu lluniaeth fel hwn iddi hi ei hun. Ond roedd hwn yn achlysur arbennig na fedrai lai na'i gydnabod â pheth haelioni. Yn y dyddiau gynt efô fu'r gwesteiwr a hithau y gwestai. Ei thro hi oedd hwn. Aeth i'w alw at y bwrdd.

Gwenodd Bryan yn werthfawrogol wrth sylwi ar liwgarwch y pryd.

"Mi fuost ti'n brysur," meddai. "Ches i ddim pryd tebyg i hwn ers tro byd — ddim er pan oeddwn i'n aros efo diwydiannydd pwysig yn Ludwigshafen."

"Wel, anghofia Ludwigshafen. Estyn ato. Mae 'na ddigon ohono fo. Gobeithio y bydd y gwin at dy ddant. *Niersteiner Gutes Domtal.* Wneith o'r tro i ti?"

"Ardderchog."

Llwythodd ei blât â'r danteithion.

155

"*Pumpernickel?* Nage, *Vollkornbrot*. Well gen i hwnnw. Dwi'n hoff iawn ohono."

"Mae gen i *Pumpernickel* hefyd."

"Na, mi wneith hwn y tro yn iawn."

Bwriodd iddi â mwynhad o'r mwyaf.

"Samwn mwg, hefyd. Ches i ddim ers llawer dydd. Mae'n siŵr fod hwn yn well na Bryn Hyfryd."

"Gobeithio. Mae gynnon ni siop *delicatessen* dda iawn yn y dre 'ma. Maen nhw hyd yn oed yn gwerthu malwod, octopws, a choesau llyffant, ond dwi ddim wedi profi'r rheini."

Ymroes Bryan at ganolbwyntio ar y bwyd o'i flaen heb dorri gair am sbel. Nid oedd gan Gwen lawer i'w ddweud, 'chwaith. Roedd hi'n falch bod Bryan wedi diosg gwisg y diwydiannydd mawr am y tro a mwynhau pryd o fwyd a edrychai iddo ef, bid siŵr, yn dra syml, serch ei ganmoliaeth. Mae hwn yn mwynhau ei fwyd fel plentyn mewn parti pen-blwydd, meddyliodd Gwen. Hwyrach fod rhywfaint o'r plentyn ar ôl ym mhawb ohonom, unwaith yr ymddihatrwn o haen ein bydolrwydd aeddfed a chael gwared o'r mwgwd artiffisial am y tro.

"Helpa dy hun i'r gwin."

Arllwysodd wydraid iddi ac un iddo'i hun.

"Iechyd da! *Prosit! Skåld! Cheers!*"

Er gwaethaf treigl y blynyddoedd a'i brofiad o fyd oedd y tu hwnt i'w gwybodaeth hi, roedd yna arlliw o'r Bryan a adwaenai gynt ar ei wên. Rhaid iddi ymogelu rhag syrthio i'r trap a chael ei swyno ganddo drachefn. Aeth at y seld i nôl y fflan a'i dodi ar y bwrdd. Torrodd ddarn triongl a'i estyn iddo ynghyd â'r ddysgl o hufen tew.

"Y tro hwnnw yn Ludwigshafen oedd y tro dwetha i mi gael tarten fel hon," meddai. "Mae'r Almaenwyr yn dallt sut i wneud fflan. A thithe, hefyd."

"Mae'n dda gen i nad yn Ludwigshafen yn unig mae fflans da i'w cael. Cymer ragor."

"Diolch. Ac wedyn mi gymera i ddarn o gaws. Brie. Fy hoff gaws."

A'r pryd drosodd, dychwelodd Bryan i'r lolfa tra darparai Gwen y coffi a nôl y brandi. Nid oedd llawer o'r lluniaeth dros ben, a da hynny. Roedd hi'n falch fod y pryd yn llwyddiant.

"'Fory," meddai Bryan pan ddaeth hi â'r troli a'r diodydd, "rhaid i ti gael pryd o fwyd efo fi yn Bryn Hyfryd. Wnei di? Ac wedyn mi awn ni am ddreif i rywle."

Gwnâi, atebodd, os dymunai hynny . . . Ond wnawn ni ddim cysgu efo'n gilydd y tro yma, 'was, meddai wrthi'i hun. Chei di mo 'nhemtio i eto . . . Er, ped awgrymai hynny, ofnai na fedrai ei wrthod. Doedd hi ddim fel buwch hesb, serch ei hoedran. Doedd y gwaed ddim wedi oeri na sychu, yn hollol. Ond ffolineb oedd meddwl am y fath beth. Fe fu'n ffyddlon i Gruff drwy flynyddoedd hir ei gweddwdod, ac nid dyma'r amser i dorri cwys newydd. Gwell dal ymlaen yn yr hen rigol.

"Wyt ti'n petruso?"

"O, nac ydw. Wrth gwrs y do i, petai ond i mi gael dweud imi gael reid mewn Mercedes."

Chwarddodd Bryan.

"Rwyt ti'n siarad fel plentyn yn cael mynd i lan y môr am drêt."

"Wel, mi fydd yn drêt fach i mi ar ôl arfer â'r Mini. Does 'na fawr o le yn hwnnw . . . Gwranda. Pan oeddet ti yn Aberwysg roeddet ti'n hoff o lenyddiaeth a'r ddrama a chelfyddyd. Wyt ti'n cofio ni'n mynd i'r cyngherddau yna?"

"Ydw. Ond mi rois y gorau iddyn nhw ers talwm. Roedd yn rhaid i mi wneud, os oeddwn i i ganolbwyntio ar fy ngyrfa. Bu'n rhaid aberthu rhai pethe . . . ac wedyn mi gollais flas arnyn nhw. A heblaw hynny, mae ffigurau a meddwl am ehangu'r fasnach a hedfan o un wlad i'r llall a gweithio yn y plên ac ati yn lladd hoffter rhywun o bethe cain. Dyna ddigwyddodd i Darwin, 'wsti. Mi ddywedodd yn ei hunangofiant fod astudio ystadegau a manylion gwyddonol ac ati wedi lladd ei hoffter o fiwsig. Digwyddodd yr union beth i mi. Maen nhw'n perthyn i ddau fyd hollol wahanol. Ond mi gesglais ychydig o bictiwrs gan rai o'r *chaps* modern — Kyffin Williams, John Piper, Jackson Pollock, Francis Bacon, ti'n gwbod, a dau neu dri o rai llai modern, jest er mwyn gallu brolio. Mi gostion nhw ffortiwn. Ond ar y cyfan mi gollais fy niddordeb mewn pethe fel'na. Do, wir i ti. Fydda i byth yn mynd i gyngerdd rŵan."

"Dwi'n tosturio wrthot ti. Mi gollaist ti rai o bethau gorau bywyd."

"Do. Ond fel mae un peth yn cynyddu rhaid i rywbeth arall gael ei aberthu, ac yna mae o'n crebachu."

"Ac yn edwino a marw."

"Ie."

"Wyt ti ddim yn teimlo'n dlotach?"

"Dwn i ddim. Mae rhywun yn newid wrth fynd yn hŷn ac isio mynd ar ôl pethe pwysicach."

"Rwyt ti'n fy siomi."

Tynnai at hanner awr wedi deg pan gododd Bryan i ymadael. Diolchodd iddi am noswaith fendigedig a'i chusanu.

"Mi alwa i amdanat ti am hanner dydd 'fory, ac mi awn am ginio ac wedyn am ddreif. Nos da, Gwen fach."

'Gwen fach'? Na, nid Gwen fach mohoni bellach. Roedd hi'n wraig ganol oed — wedi troi canol oed a dweud y gwir — yn annibynnol ers chwarter canrif, wedi colli'i gŵr a'r baban yn ei chroth, wedi torri cwys iddi'i hun ac wedi arfer byw ar ei phen ei hun. Edrychai'n iau na llawer un o'i hoedran hi, ac ni ddioddefai o'r gwynegon, nac o'r cancr drawodd a dinistrio cynifer o wragedd canol oed gan gynnwys ei mam a Joan. Mewn pedair blynedd byddai'n bensiynwr, a deng mlynedd wedi hynny cyrhaeddai oed yr addewid. Ac wedyn, beth? Dal ymlaen am bymtheng mlynedd, yn unig a heb ffrindiau a neb i'w hymgeleddu hi yn ei henaint? Gwthiodd y rhagolwg o'r neilltu; y presennol oedd yn cyfrif, nid y dyfodol dichonadwy.

'Gwen fach'. Dyna oedd hi i Bryan gynt, y noson yn y Gelli. Ond tybed ai dim ond gair ydoedd bryd hynny i gelu ei fryd ar fwynhau ei chorff lluniaidd yn unig? A'r dadrithiad a lofruddiodd ei chariad hi ato ac a roes ergyd derfynol i'w glas-ieuenctid? Daliai hyn i fod yn rhan ohoni, yn hawdd ei alw yn ôl mewn eiliad yn ei chof. 'Gwen fach'? Tybed. A'r gusan wrth ymadael? Ai arwydd o hen serch wedi dadebru oedd hynny, ynteu dim mwy na sêl foesgar ar noson ddifyr? Annhebygol ydoedd i'r gŵr mawr ei fri ym myd diwydiant archgyfalafol a chymlethdodau cwmni byd-eang megis British-International Chemicals feddalu wrth ailgyfarfod â'i hen gariad. Prin y gallai hi ei alw'n 'Bryan bach'. Roedd y syniad yn chwerthinllyd. A doedd hi ddim yn fach; roedd hi bron cyn daled ag ef. Term anghymwys oedd o, a dweud y lleiaf. Pe dywedasai 'Gwen annwyl' mi fyddai hynny'n derm o anwyldeb, ar y naw, ar ôl yr holl flynyddoedd a'r bwlch rhyngddynt. Ond diolch i'r drefn ni wnaeth; buasai'n rhagrith. "Annwyl Gwen" a sgrifennodd yn ei lythyr — y llythyr hwnnw a rwygodd yn ddarnau mân mor bell yn ôl nid "Gwen annwyl", ac roedd gwahaniaeth mawr, bwlch o wahaniaeth, rhwng y ddau; nid mater semantig oedd o. Ni byddai hi yn 'Gwen fach' i neb fyth eto, ond i'w thad a oedd yn wyth a phedwar ugain ac yn byw ar ei ben ei hun yn ei fyngalo a howscipar yn gofalu amdano.

§

Braf oedd cael cinio blasus ym mwyty Bryn Hyfryd ac wedyn eistedd ar y teras a thremio ar y dyffryn islaw. Ar yr ochor draw roedd rhes o fryniau Clwyd fel sarff môr enfawr amlgrwmach a Moel Famau fel crwb ar ei chefn. Yna ymlaen yn y car cyfforddus a foriai'n esmwyth fel pe'n rhedeg ar aer, a chyrraedd Aberystwyth a sylwi ar yr adeiladau newydd yn ei lordio hi uwchlaw'r dref. Mor wahanol ydoedd i'r coleg fel yr adnabu hi ef ymron ddeugain mlynedd ynghynt. Ac yna ar hyd yr arfordir i'r gogledd a chyrraedd Bangor a'r A5 a Nant Ffrancon ac aros wrth y Garreg Filltir ger Llyn Ogwen. Yno dychwelodd ei hiraeth am y dyddiau a fu, a pherswadiodd Bryan i adael y car tra ymlwybrent dros y glaswelltir at waelod y Bwtres lle rhoes Gruff ei gwersi dringo cyntaf iddi. Hoffasai gydio yn y graig a'i thynnu ei hun i fyny ar hyd y grib at Adda ac Efa, pe buasai ei gwisg a'i hesgidiau yn addas.

"Rwyt ti'n edrych yn ddifrifol iawn," meddai Bryan.

"Yndw. Fan yma y dysgais i ddringo efo 'ngŵr."

"Dringo?"

"Ie, dringo. Roeddwn i'n dotio ar ddringo, yn Eryri ac wedyn yn Ardal y Llynnoedd . . . Hwyrach y dringa i hwn eto, cyn oeri'r gwaed."

Cyn oeri'r gwaed. Symbylwyd rhagor o atgofion gan y geiriau a'i swynai fwyfwy wrth heneiddio. Glynai atgofion wrth rywun fel croen. Cyffyrddodd â'r graig â'i bysedd a'i chledrau a'u tynnu drosti fel pe'n tolach creadur byw. Roedd y crafiadau hoelion wedi lluosogi er dydd ei chyflwyniad i'r Bwtres.

"Rwyt ti'n ddynes ryfeddol," meddai Bryan. "Ddringais i 'rioed ond i ben ysgol masnach. Ella fod hynny lawn mor anodd a'r un mor fentrus hefyd."

Cydsyniodd Gwen.

"Dwi'n nabod y mynyddoedd yma bron cystal â chefn fy llaw, a'r peryglon yn ogystal."

"Wel, pawb at y peth y bo. Gwaetha'r modd, does gen i'r un hobi rŵan ond fy ngwaith."

"Druan ohonot ti, Bryan. 'Canys pa lesâd i ddyn, os ennill efe yr holl fyd, a cholli ei enaid ei hun?' "

"Paid â moesoli. Dwi ddim wedi colli f'enaid, beth bynnag ydi hwnnw."

"Wel, dy fywyd."

"Taw â siarad lol."

Chwarddodd Gwen.

"Ti ŵyr orau be sy'n dda i ti. Tynnu dy goes oeddwn i."

"Nage. Mi oeddet ti o ddifri."

Nid atebodd Gwen. Oedd, yr oedd hi o ddifri. Roedd Bryan mewn gwirionedd wedi aberthu ei fywyd i dduw llwyddiant.

Dychwelasant at y car — Bryan yn baglu dros y twmpathau a Gwen yn llamu'n sionc ac mor hyderus â phe bai'n cerdded ar balmant. Arhosodd amdano, yn gwenu fel giât.

"Mi wna i 'chydig o frechdanau cyn i ti fynd yn d'ôl i'r Clwyd Arms," meddai hi pan gyraeddasant yn ôl i'r fflat. "Mae 'na ddigon o selsig a ham . . . Beth oedd dy wir reswm am ddŵad i 'ngweld?" gofynnodd maes o law.

"Mi ddudes i wrthat ti'n barod, i sgwrsio am y dyddiau gynt."

"Ryden ni wedi sgwrsio am lawer o bethau, ond fawr ddim am y rheini. Dyna'r cwbl?"

"Wel, mae 'na reswm arall."

"Sef?"

"Isio dod i dy nabod di eto, a . . . wel . . . gofyn i ti a wnei di 'mhriodi i?"

Cafodd Gwen y cwestiwn yn ddoniol.

"Ar ôl i mi basio'r arholiad? Oeddwn i ar brawf?"

"Nac oeddet. Ddim byd o'r fath. Mi wyt ti mor ddeniadol ag oeddet ti gynt, mewn ffordd wahanol."

"Ti'n meddwl? Mi gest ti dy siawns 'radeg honno, ac mi heglaist hi."

"Mae gen i bopeth i'w gynnig i ti."

"Oes. Cyfoeth. Moeth. Iot yn Antibes. Sicrwydd ariannol. Mi wn. Ond mae un peth yn eisiau!"

"Be 'di hwnnw?"

"Cariad. Hwyrach mai fy nghorff wyt ti'i isio, fel o'r blaen, i ailfywiogi nwyd wedi pallu, neu rywun i addurno dy gartre — tra byddi di yno ac nid yn Chicago neu Johannesburg. Neu Ludwigshafen. Mi gei di fflan neis fan'na."

"Yn tyden ni'n dau yn unig, tithe'n weddw a minne wedi colli 'ngwraig a'm mab?"

"Dwyt ti ddim yn dallt, Bryan. Mi ydw i'n byw ar fy mhen fy hun, ond dwi ddim yn unig. Rhwng y Clwb Golff a'r Gymdeithas Gymraeg a'r *Citizens Advice Bureau* a'm ffrindie a'm llyfre a phethe eraill, mae gen i ddigon i lenwi pob munud awr heb fod yn wraig i neb eto. Mi oeddwn i'n wraig unwaith, cofia, ond ers hynny mi ddysgais sut i fod yn ddynes annibynnol. Mae hynny'n hen ddigon i mi bellach heb gyd-fyw efo dyn arall."

"Ond 'drycha. Ymhen deg neu ugien mlynedd mi fyddi di'n hen, 'run fath â fi, a gall henoed fod yn unig iawn. Mi ddudes i wrthot ti dy fod ti'n rhyfeddod o ddynes, a dyna wyt ti. Mor ddeniadol ag erioed yn dy ganol oed. Synnais wrth dy weld di ar ôl yr holl flynyddoedd yma."

"Beth oeddet ti'n ddisgwyl? Hen wrach, efallai, neu beth?"

"Paid â smalio. Wyddwn i ddim sut un fyddet ti. Mi ges i syrpreis braf pan agoraist ti'r drws."

"A finne hefyd, ond am reswm gwahanol . . . Gymeri di ragor o goffi? Mi wna i 'chwaneg os mynni di."

"Diolch. Rwyt ti'n gneud coffi da."

Aeth i'r gegin a rhoi dŵr i ferwi. Beth fedrai hi ddweud wrth Bryan? Nid âi mor bell ag awgrymu ei fod o fel ffarmwr yn mynd i sioe i brynu buwch. Doedd *hi* ddim ar werth. Ni ddymunai fynd ar fordeithiau mewn iot ar Fôr y Canoldir — wel, nid efo Bryan beth bynnag. Nid oedd arni eisiau clamp o dŷ a dau gar, na gŵr oedd yn gorfod tramwyo'r byd fel rhan o'i fywoliaeth. Dymunai glydwch a'r rhyddid i fyw fel y mynnai, ac roedd y rhain ganddi eisoes. Ac nid oedd personoliaeth Bryan yn ei denu hi. Doedd hi ddim yn ei hoffi digon i'w briodi. Hen gydnabod ydoedd, wrth reswm, ond un dieithr, hefyd. Ni fedrai ei dychmygu ei hun yn gywely iddo; nis denai'n gorfforol rŵan, fel y gwnâi ddeng mlynedd ar hugain ynghynt, er y tybiai ei bod hi'n dal yn ddeniadol iddo fo. Erbyn hyn roedd hi'n fwy esgyrnog nag yr oedd hi'r adeg honno, ond daliai yn osgeiddig a'i choesau'n lluniaidd a heb ddangos olion gwythiennau faricôs gleision, ac roedd ei fferau mor fain byth. Ond doedd ei chroen ddim mor llyfn, ac roedd ei bronnau'n llacach. Ar y cyfan nid oedd ganddi gywilydd o'i chyflwr. I'r gwrthwyneb. A phed âi hi ati o ddifri, a hithau'n hoffi dyn, credai y gallai ei hudo a gwneud iddo wirioni arni.

Roedd y dŵr yn berwi. Hidlodd ragor o goffi a gwylio'r dŵr yn diferu i'r jwg gwydr. Byddai manteision ac anfanteision i briodi Bryan, ond gan eu bod ill dau yn gymeriadau penderfynol byddai'n hawdd tynnu'n groes i'w gilydd, oni byddent yn fodlon cyfaddawdu. Eto i gyd . . .

Pan ddychwelodd i'r lolfa safai Bryan wrth y cabinet gwydr yn sbio ar lun Gruff.

"Fy ngŵr 'di hwnnw," meddai hi. "Mab i'r llawfeddyg enwog Syr Lewis Thomas, fel y dudes i wrthot ti. Cafodd ei ladd gan afalans wrth ddŵad i lawr y Wetterhorn pan oedden ni ar ein gwyliau yn y Swistir. Fo a'i gyfaill. Achubwyd y dringwr arall. Roedd yna dri ohonyn nhw, a phob un yn arbenigwr."

Amneidiodd Bryan.

"Trychineb ofnadwy, yntê?"

"Ie, dwy flynedd ar ôl i ni briodi. Ac roeddwn i'n feichiog ar y pryd. Dyna a achosodd i mi golli'r plentyn."

"Mae amser hir ers hynny."

"Oes . . . Stedda i lawr i gael dy goffi . . . Pryd wyt ti isio ateb?"

"Heno. Mi fydda i'n mynd i Runcorn yn fuan bore 'fory ac yna yn ôl i Lunden."

"A beth 'tawn i'n deud 'Na'?"

"Wnei di ddim os wyt ti'n gall. Mae gen i bopeth i'w gynnig i ti."

"Dyna ddudest ti eisoes. Popeth ond dy gariad."

"Cyfeillgarwch, a sicrwydd a diogelwch."

"Wel, rwyt ti'n onest, beth bynnag. Ond beth 'taet ti'n marw o glefyd y galon fel mae llawer dyn busnes yn y *rat-race* o dan straen ei waith?"

"Wna i ddim. Mae'r pwysedd gwaed yn rhagorol."

"Wyddost ti ddim be ddigwyddith i ti."

"Paid â phoeni am hynny."

"Ond alla i ddim peidio."

"Wnei di benderfynu heno cyn i mi fynd?"

"O'r gore . . . Mae hi'n amser newyddion deg."

Nid oedd dim yn y newyddion i godi calon neb; streic y glowyr, trais ar y llinellau picedu, Arthur Scargill yn rhuo fel Hitler ac Ian Paisley'n bugunad fel tarw, rhyw ddyn yn treisio genethod, helynt yn Ne Affrica, newyn yn Ethiopia, Amnest Rhyngwladol yn cyhuddo llywodraeth Guatemala o an-wybyddu hawliau dynol, eitem am iechyd Sacharoff, y rhyfel yn Lebanon, yr IRA yn llofruddio heddwas, ac ati. Dim llygedyn o obaith na llawenydd. Yr hen diwn gron ddigyfnewid. Dim ond un peth cadarnhaol: Cyfarwyddwr y CBI yn haeru bod diwydiant ar i fyny.

"Ydi hynna'n wir?" gofynnodd Gwen wrth ddiffodd y teclyn.

"Cynyddodd ein helw ddeunaw y cant y llynedd," meddai Bryan, "hynny yw *seven hundred and twenty million pounds,* a'n *turnover* yn codi bob blwyddyn."

"A phymtheng mil o gwmnïau'n mynd i'r wal . . . Gwell i ni newid y pwnc. Hoffet ti *gin and tonic?"*

"Hoffwn. Efo digon o *gin.* Cystal i ni gael tipyn o hwyl ar y noswaith ola 'ma."

Pan ddaeth hi'n ôl â dau wydryn ar hambwrdd bach, gofynnodd Bryan:

"Wel, wyt ti wedi penderfynu 'mhriodi i?"

"Dwi wedi penderfynu, ond nid i dy briodi di."

"Meddylia; mi gei di bopeth rwyt ti'i isio, a dim pryderon."

163

"Dwi ddim ar werth, Bryan, ddim am unrhyw bris. Dwi am ddal ymlaen fel rydw i, yn annibynnol. Dwi ddim am gael fy llyncu fel cwmni arall yn un o dy *mergers* di."

"Wnei di byth golli dy . . . dy hunaniaeth."

"Wna i ddim; dwi'n benderfynol o beidio. Fasen ni ddim yn cyd-dynnu'n dda iawn, ti a fi. A be wyt ti'n meddwl y byddwn i'n gwneud ar fy mhen fy hun a thithe'n galifantio i'r America neu'r India neu rywle ar fusnes am wn i ddim ba hyd? Os ydw i i fod ar fy mhen fy hun gwell gen i fod fel rydw i, ac mi wyt ti'n siarad fel pe bai priodi'n fater o fusnes neu gontract masnachol. Na, Bryan, fase hi ddim yn tycio, ond diolch i ti am 'i awgrymu o."

"Rwyt ti'n fy siomi i. Base llawer merch yn croesawu'r cynnig heb betruso am eiliad."

"Gofynna i un ohonyn nhw, felly."

Gwgodd Bryan a llowcio ail hanner ei *gin and tonic*.

"Gym'ri di ragor?"

Amneidiodd ac estyn ei wydryn iddi. "A gwna fo'n gryf."

Dychwelodd Gwen gydag un gwydryn yn unig.

"Dyma fo. Gobeithio neith o dy siwtio di."

"Beth amdanat ti?"

"Dwi 'di cael digon. A phaid ti ag yfed gormod 'chwaith; rhaid i ti ddreifio'n ôl i'r gwesty, cofia."

Drachtiodd y ddiod bron i gyd ar ei dalcen.

"Ga i un arall gen ti?"

"Na chei, neu mi fyddi di'n feddw."

Daliodd i guchio, ac yna gwenodd yn faleisus.

"Am y tro ola," gofynnodd gan godi'i lais, "a wnei di 'mhriodi i?"

"Am y tro ola, na wnaf. A hwyrach y byddai'n well i ti fynd, rŵan. Mae'n ddrwg gen i, Bryan. Diolch yn fawr i ti am alw ac am y cinio a'r reid, ond nid yn y Gelli yr yden ni rŵan."

Ffyrnigodd Bryan, a chodi ar ei draed. Cododd hithau, a wynebent ei gilydd fel dau baffiwr, a chiliodd Gwen pan nesaodd Bryan ati yn wridog gan ddicter a'r ddiod. Mewn eiliad roedd ei freichiau amdani a'i wefusau'n chwilio am ei cheg. Fe'i gwthiodd tuag at y soffa gan ddymchwel y bwrdd bach, a bu bron iddi fethu anadlu. Llwyddodd i ryddhau un fraich a tharo'i wyneb gan gicio'i figyrnau, ac wrth iddo ei gollwng yn ei boen trawodd ei foch drachefn â'i holl nerth â chledr ei llaw. Ym-sythasant, ac yna trodd Bryan a suddo i'w gadair freichiau a phlygu, â'i ben rhwng ei ddwylo, tra sbiodd Gwen arno'n syn a'i wylio'n wylo fel plentyn. Roedd y gŵr pwysig, peniog a meistrolgar hwn, a oedd yn bennaeth ar gwmni mawr rhyng-wladol, wedi cael ei drechu. Ond nid oedd hon yn fuddugoliaeth y gallai hi ymffrostio ynddi. Yn hytrach tosturiodd wrtho.

Edrychodd Bryan arni, wedi'i sobri yn sydyn.

"Maddau i mi," meddai. "Mi gollais arnaf fy hun."

"Do, mi wnest."

"Roedd y demtasiwn yn ormod i mi, a thithe'n fy nghyffroi fel yn yr hen ddyddie. Mi a' i rŵan. Weli di mohona i byth eto."

Bryan fel yr oedd o yn y Gelli, fel yr oedd o yn Llundain, ddeng mlynedd ar hugain ynghynt, oedd hwn. Teimlai'n wirioneddol flin drosto.

"Roedd yn braf dy weld di eto. Da bo'ch, Gwen fach."

Cydiodd yn ei dwylo a'i chusanu ar ei thalcen, a'r peth olaf a glywodd oedd clep ar ddrws y car a sŵn y peiriant yn cychwyn. Gobeithio nad oedd o wedi yfed gormod. Ni wnâi mo'r tro i gadeirydd British-International Chemicals gael ei erlyn gan yr heddlu am yrru dan ddylanwad diod.

Rhoddodd y bwrdd bach yn ei le a chodi darnau'r gwydryn a sathrodd Bryan yn gandryll wrth geisio'i chofleidio. Sylwodd ar staen tywyll ar y carped, ac aeth i'r gegin i nôl cadach i'w sychu a brws a phadell i ysgubo gweddill y gwydr. Yna eisteddodd yn llonydd yn ei chadair esmwyth yn syllu megis i ddiddymdra, a'i meddyliau mewn terfysg. Tybed a fyddai wedi'i ei threisio hi, dan ddylanwad y ddiod, fel y ceisiodd wneud y tro hwnnw yn Llundain? Pe bai hi'n gwbl onest â'i hunan, am eiliad teimlasai ei nwyd yn codi er ei gwaethaf, ond iddi lwyddo i'w fygu mewn pryd. Pe bai hi wedi ildio'r tro hwn buasai ar ben arni. Os oedd ei ymddygiad yn enghraifft o'i fryntni, ac os oedd hi wedi osgoi trychineb drwy ei wrthod — a hwyrach yr arweinai ei briodi at drychineb maes o law — roedd hi'n ddiolchgar am gael dianc.

Doedd dim dwywaith amdani, roedd agwedd dra annymunol i gymeriad Bryan. Pe bai o wedi mynegi edifeirwch am ei driniaeth ohoni ddeng mlynedd ar hugain ynghynt hwyrach y teimlai'n garedicach tuag ato. Ond ni wnaeth. Efallai na fedrai. Fe'i câi'n ddeniadol, yn addurn i'w gartref, yn bisyn hardd i'w harddangos i'w gydnabod, yn rhyw fath o gysur yn ei unigrwydd. Ac ymhen blwyddyn neu ddwy, hwyrach, byddai'n ymddeol, a hwythau'n gweld ei gilydd yn feunyddiol dros y bwrdd brecwast, a dichon y byddai hynny'n waeth na phan fyddai'n gweithio. Nid amheuai na byddai'n ystyriol ohoni gan ddal sylw i bob dymuniad o'i heiddo am gyfnod, beth bynnag, cyn i'r newydd-deb edwino. Ond wnâi hi byth gysgu gydag ef. Byddent fel dieithriaid — dieithriaid moesgar — ond dieithriaid serch hynny, gan gymaint y bwlch rhyngddynt. Nid yr hen Bryan oedd hwn, y Bryan yr oedd hi'n ei garu'n orffwyll yn Aberwysg a'r Gelli. Roedd hwnnw'n farw fel yr oedd ei serch hithau.

Eto i gyd, roedd rhywfaint o amheuaeth yn ei blino; ymlusgai i'w meddwl fel anifail yn cropian o'i guddfan. Dyma'r ail dro iddi wrthod cynnig priodas oddi ar farw Gruff. Ni charai Gerald, ond roedd ef yn ei charu hi. Doedd dim arwydd o gariad ar ran Bryan, a gwell ganwaith oedd ganddi Gerald nag ef — eisiau ei defnyddio i'w ddibenion ei hun oedd hwnnw. Ffiasco fu'r ymweliad, iddo ef beth bynnag, ac yn siom iddi hi.

Drannoeth, a hithau'n digwydd bod yn y llyfrgell, estynnodd *Who's Who* o'r silff a throi at enw Bryan. Cystal iddi weld yr hyn a sgrifennodd amdano'i hun:

Powell, Bryan Garfield. B. 1924. *S.* of Ceridwen and Owen Powell. *Ed.* Friars School, Bangor. B.Sc (chemistry) first-class honours and M.Sc (Manchester University). 1942-45, Royal Navy. 1951-54, schoolmaster, Aberwysg Grammar School. *M.* Cynthia Hardcastle. One *S.* 1954: British-International Chemicals Research Staff. 1974: chairman, British-International Chemicals. M.B.E. Hon. D.Sc. (Manchester and Aston). Corresponding member, Institüt für angewandte Chemie der Bundesrepuklik; hon. member, Massachusetts Institute of Technology. Director, Anglo-Omanian Bank. Founder, Institute for Technochemical Research. *Publications:* The Future of Oil from Coal; Industry and Social Change.

Contributor to scientific periodicals. *Clubs:* R.A.C. and Travellers. *Recreation:* work. *Address:* Beech House, Harpenden, Herts., and British-International House, London, S.W.

Gwenodd wrth ddarllen y pennawd '*Recreation*'. Ei waith oedd ei fywyd. Tybed a weithiai yn ei gwsg? Er nad oedd yn 'traveller' fel ymchwiliwr daearyddol, treuliai lawer o'i amser mewn gwledydd tramor ar fusnes. A chael ei anrhydeddu â dwy ddoethuriaeth fel cydnabyddiaeth o'i bwysigrwydd ym myd diwydiant; ni chyfeiriodd at hynny. Hwyrach nad oedd arno eisiau ymffrostio, ond nid oedd hynny i'w gysoni â'i haerllugrwydd a'i hunanhyder amlwg a'i ymarweddiad rhodresgar.

Nid oedd yn deall Bryan, a doedd hynny ddim yn syndod ar ôl deng mlynedd ar hugain, ac yntau wedi arfer byw ym myd cymhleth masnach a chyllid a chewri diwydiant. Ni fuasai'n bosib rhag-weld ei ddyfodol disglair a'i lwyddiant mewn maes mor wahanol pan oedd yn athro yn Aberwysg. Ond roedd ei reddf yn gywir. Ymchwil a diwydiant a dod ymlaen yn y byd oedd ei wir elfen. Eto i gyd amheuai Gwen na choronwyd ei yrfa neilltuol â dedwyddwch dilychwin. Synhwyrodd rywfaint o dristwch a hwyrach anniddigrwydd dan yr wyneb hunanhyderus a rhwysgfawr. Os oedd o'n parhau i alaru ar ôl ei wraig a'i fab, gallai gydymdeimlo ag ef. Collodd hithau ŵr a'r bywyd yn ei chroth a fuasai'n ferch iddi, a'i mam ar ôl saldra hir a'i dinistriodd bob yn dipyn mewn poen a drewdod a llygredd cyffredinol. Nid oedd dim rhyfedd yn y byd iddo deimlo'n unig, serch ei fuddiannau amrywiol. Ond er cymaint ei chydymdeimlad ni fedrai hi yn ei byw ei dychmygu ei hun yn wraig iddo, nac yntau'n ŵr iddi hi.

Tradwy derbyniodd lythyr ganddo yn diolch iddi am ei charedigrwydd ac yn ymddiheuro am beri blinder iddi ar ôl diwrnod mor ddymunol. Daeth peth o'r hen serch yn ôl, meddai, a hyderai y maddeuai hi iddo am fod mor drwsgl ac anystyriol:

Wna i ddim gofyn iti eto i 'mhriodi. Mae'n ddrwg gennyf dy fod ti wedi gwrthod — rydw i'n siŵr y gallen ni fod yn

hapus. Os byddi di'n ailfeddwl, sgrifenna ataf. Roedd yn
hyfryd dy weld di ar ôl yr holl amser, a thithe mor
ddeniadol ag erioed. Ond mi haeddais y glipsen.

Roedd hi 'mor ddeniadol ag erioed'. Oedd, debyg iawn, ond
doedd *o* ddim. Swniai'r llythyr fel apêl at ei natur dda ac fel cri
o'r galon. Ond ni thyciai. Gallai ei anwybyddu a'i roi yn y fasged
'sbwriel. Ond byddai'n anfoesgar i beidio â'i ateb, ac yntau, yn
ôl pob tebyg, ar bigau'r drain yn disgwyl ateb cadarnhaol.

Sgrifennai ato'n ddiymdroi. Dywedodd wrthi cyn ymadael na
welai hi byth mohono eto. Gwell o lawer fyddai gadael pethau
fel yr oeddynt.

EPILOG

Yn yr un modd ag y symbylwyd Marcel Proust, drwy doddi bynsen mewn cwpanaid o de, i forio yn ôl drwy ei fywyd at ei flynyddoedd cynnar yn Combray, fe symbylwyd Gwen gan y llythyr a dderbyniasai oddi wrth Bryan wythnos ynghynt i gychwyn ar ei hymchwil am amser colledig, *A la Recherche du Temps Perdu*. Ond nid amser colledig mohono yn llythrennol, eithr amser yn cynnwys atgofion am y dolennau cyswllt yng nghadwyn ei hanes.

Yn y cwpwrdd gwydr roedd llun Gruff; fe'i tynnodd allan a syllu arno. Fel yna y'i cofiai. Tybed sut yr edrychai erbyn hyn, ar fin henant, pe cawsai fyw?

Dros chwarter canrif ynghynt prynasai record o sonata olaf Schubert. Cyfansoddodd Schubert hi pan oedd oddeutu'r un oedran â hithau yr adeg honno; mwynhâi Gruff hi yn fwy na rhai o sonatas Beethoven, hyd yn oed. Tynnodd y record o'r rac a'i dodi ar y chwaraeydd gan ddwyn i gof ychydig flynyddoedd eu carwriaeth a'u priodas ddedwydd, ac wrth iddi orwedd ar ddihun yn nes ymlaen atseiniodd y thema agoriadol drwy'r distawrwydd.

Penderfynodd fynd i Beniarth am ychydig ddyddiau. Byddai ei neiaint oddi cartref — Rhys yng ngholeg amaeth Llysfasi a Gwilym ar grwydr yn rhywle cyn i dymor yr hydref ddechrau yng ngholeg Bangor. Câi groeso gan ei thad, beth bynnag; doedd hi ddim yn malio sut y byddai Ieuan a Blodwen yn ei

169

thrin. Os dymunent ymddwyn yn llugoer tuag ati, rhyngddyn nhw a'u potes. Yno roedd ei gwreiddiau, wedi'r cyfan.

Flwyddyn nesaf, efallai yr âi ar drip i Sbaen neu drachefn i'r Eidal neu ar fordaith i Ynysoedd Groeg. Mi fyddai hwnnw'n dir newydd iddi. Ped âi hi gofynnai i Liz fynd efo hi. Roedd hithau erbyn hyn yn weddw — bu farw ei gŵr o drawiad ar y galon ar y maes golff. Dwy ddynes wedi troi canol oed ond heb gyrraedd eu henaint yn mynd ar sbri. Byddai hynny'n rhywbeth i edrych ymlaen ato. Ond ar hyn o bryd ei bro enedigol oedd yn galw.

Yn nes ymlaen câi ddigon o gyfle i ystyried beth a wnâi y flwyddyn nesaf.

NEATH PORT TALBOT LIBRARY
AND INFORMATION SERVICES

1	06/05	25		49		73	
2		26		50		74	
3	6/02	27		51		75	
4	9/07	28		52		76	
5		29		53		77	
6	4/99	30		54		78	
7		31		55		79	
8		32		56		80	
9		33		57		81	
10		34		58		82	
11		35		59		83	
12		36		60		84	
13		37		61		85	
14		38		62		86	
15		39		63		87	
16		40		64		88	
17		41		65		89	
18		42		66		90	
19		43		67		91	
20		44		68		92	
21		45		69		COMMUNITY SERVICES	
22		46		70			
23		47		71		NPT/111	
24		48		72			